교육실천이음연구소

공교육 멈춤,
그 이후

서이초 사건부터 지금까지의 기록과
앞으로의 과제

CONTENTS

CHAPTER 01

RECORD

//

공교육 멈춤,
그 날을 기억하며

CHAPTER 02

REFLECTION

//

광장에서 학교로

CHAPTER 03

PRACTICE

//

학교 안의
참여와 연대

뜨거운 아스팔트 위에서

7월 22일 첫 집회에 나갈 때, 깔개가 없었다. 그저 뭐라도 해야겠다는 마음만으로 나간 자리였다. 오전의 강렬한 태양으로 잘 달궈진 보도 블록 위에 앉아 종각역 5번 출구에서 검은 물결처럼 쏟아져 나오는 사람들을 넋 놓고 보았다. 비가 흩날리기 시작하며 곁에 앉은 후배는 우산을 폈다 접었다 했다. 방송 차량의 영상 송출이 고르지 않았기에 간혹 멀리서 들려오는 구호를 뒤따라 연호했다.

"규명하라, 규명하라, 규명하라"

두 팔로 피켓을 들고 있는 사이, 검은 마스크 속으로 쉴 새 없이 눈물이 흘러 어느새 축축이 젖었다. 나는 왜 우는 걸까.

나에게도 세 번의, 잊히지 않는 기억이 있다. 정신의학적 치료가 필요한 엄마였고, 전형적인 가해 자녀를 둔 엄마였고, 이기적이고 위법적이면서도 부끄러움을 모르는 아빠였다. 어떻게 버티어 왔는지 모르겠다. 그 순간은 별안간 들이닥쳤고 나는 무엇을 잘못했는지도 모른 채 숨을 죽여 시간이 지나가기만을 바랐다. '운이 없었다' 여기며 별일 아닌 듯 툭툭 털고 지나가고 싶었으나 마음 한 켠에는 나의 무능과 미숙한 대처에 자책이 쌓였다. 동료는 더없이 좋은 친구들이어서 잘 들어주고, 함께 욕해주고, 다독여주었지만 나는 모욕감과 외로움으로 밤잠을 설쳤다. 그것은 오롯이 내 몫이었다.

눈을 감기 시작했다.

학부모는 아이의 문제점이 듣고 싶어 나에게 오는 것이 아니다. 나는 모르는 척 칭찬만 열심히 하면 된다.

아이가 전문가의 진단이 필요한 상황이라 판단 될 때도 참고 견디며, 가급적 아이의 심각성을 드러내지 않는다.

아이가 습관적으로 친구의 물건을 훔치고 난 후, 울며불며 "엄마, 아빠한테만 알리지 않으면 무슨 일이라도 하겠다."라고 매달릴 때 그냥 봐주고 넘어갔다.

아이들이 싸우면 시시비비를 가리려 노력하지 않고, 아이들이 하고 싶은 이야기를 들어주기만 했다.

최대한 견디고, 최대한 친절하고, 최대한 조심했다. 나는 그렇게 편안하고 평판 좋은 선생님이 되어갔다.

이제 다 괜찮은데 나는 왜 울고 있는 것일까.

뜨거운 아스팔트 위에 앉아 단상에 오른 동료들의 이야기를 듣다가 알게 되었다. 내 안의 분, 수치스러움, 무력감과 두려움은 전혀 해결되지 않은 채 그저 가라앉아 있었다는 사실을 말이다. 학생과 학부모와 동료들에게 들은 99개의 인정의 말은 단 한 번의 인격 모독 앞에서 힘을 잃었다. 그것은 존재의 부정, 스스로를 무너지게 했다.

그렇다면 나는 자신을 연민하며 눈물을 흘리고 있는 것인가. 아니다. 오히려 그 순간 나는 공감과 연대로 마음이 벅차올랐기 때문이다. 단상 위에 오른 사람이 나였고 소중한 목숨을 차마 저버릴 수 밖에 없던 이가 나였다. 검은 옷을 입은 앞 사람과 뒷 사람이 나였고 두 시간 집회를 위해 먼 지역에서 대절 버스를 타고 온 이가 나였다. 어려운 업무가 올까 봐 겁을 내던 이가 나였고 우리 학년 왕 검은 별이 들어있는 반을 뽑지 않기를 간절히 바라던 이가 나였다. 모든 것을 내 탓으로 돌리며 힘든 상황을 참고 견디는 것이 좋은 교사의 본이라 여기던 이가 나였고 고립된 교실에서 수치와 두려움으로 움츠러들어 있던 이가 나였다. 모든 이가 나였고 내가 그들이었다.

우리는 더이상 '나만 아니면 돼'라고 말할 수 없게 된 것이다.

> **❝** 우리는 더이상
> '나만 아니면 돼'라고
> 말할 수 없게 된 것이다.

녹아내릴 듯한 더위 속에서 집회를 거듭하며 5천명은 30만으로 불었다. 그 사이 묻혀 있던 사건들이 드러나 우리를 분노케 했고, "우리 딸 아이의 억울함도 풀어달라."며 울부짖는 아버지와 함께 울었다. 미뤄둔 고통을 견디지 못해 연달아 교사들이 목숨을 끊었고 더이상 소중한 동료를 잃지 않겠다는 절박함에 교사들은 연·병가로 공교육을 잠시 멈췄다. 징계, 파면, 해임, 형사고발을 외치던 이는 '교사 징계는 없다'며 눈물을 흘렸다. '공교육 멈춤'은 교육의 단절이 아니라 새로운 시작을 알리는 신호탄이라는 것을 권한을 쥔 사람들이 빨리 깨달았다면 얼마나 좋았을까. 아니, 우리가 비정상적인 고통을 호소했을 때 무슨 일인지 들여다보았다면 단 몇명의 목숨은 살릴 수 있지 않았을까.

고된 여름 방학을 마치고 우리는 다시 교실로 돌아가 아이들 앞에 서 있다. 30만의 기적적 연대를 경험한 이들은 그 이전으로 돌아갈 수 없으며 그래서도 안된다. 우리는 어쩌다 여기까지 왔고, 원인은 무엇일까. 동료를 잃은 자리를 딛고 일어선 우리는 무엇을 외쳐야 할까. 우리는 앞으로 무엇을 선택하고, 어떻게 행동해야 할까.

뜨거운 마음을 한 켠에 담아 두고 냉철하게 사태를 짚어보자.

진짜는 이제부터다.

서이초 사건 이후
총 집회 차수

11회

수도권 집회에
참여한 누적 인원 수
: 주최 측 추산

74.5만 명

30만

12만

5만

6만

5만

3만 3만

0.5만

3만

4만

3만

| 1차 | 2차 | 3차 | 4차 | 5차 | 6차 | 7차 | 8차 | 9차 | 10차 | 11차 |

교사 집회, 숯

고 서이초 교사
49재 추모집회 지역 **14**지역

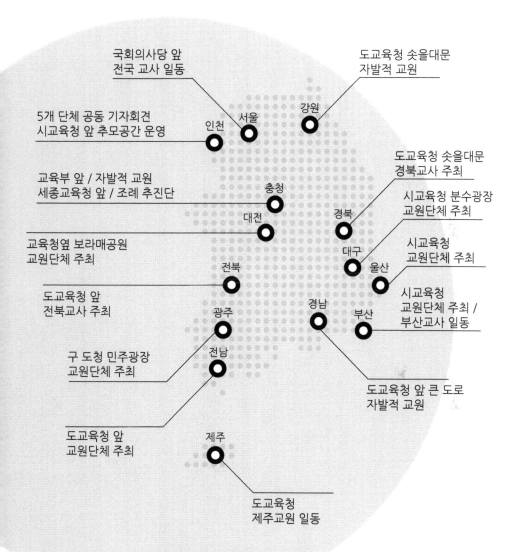

국회의사당 앞
전국 교사 일동

도교육청 솟을대문
자발적 교원

5개 단체 공동 기자회견
시교육청 앞 추모공간 운영

인천 서울 강원

교육부 앞 / 자발적 교원
세종교육청 앞 / 조례 추진단

충청

대전

교육청옆 보라매공원
교원단체 주최

도교육청 솟을대문
경북교사 주최

시교육청 분수광장
교원단체 주최

경북

대구

시교육청
교원단체 주최

울산

도교육청 앞
전북교사 주최

전북

광주

경남

부산

시교육청
교원단체 주최 /
부산교사 일동

구 도청 민주광장
교원단체 주최

전남

도교육청 앞 큰 도로
자발적 교원

도교육청 앞
교원단체 주최

제주

도교육청
제주교원 일동

ㅏ로 읽다

INTRO

// -   -   - ─

뜨거운 아스팔트
위에서

CHAPTER 01

RECORD

- // - - -- - - //

공교육 멈춤,
그 날을 기억하며

CHA

REF

//

광

'연필 사건'

1

2023년 7월 18일,
서울서이초등학교 교사가
교내 학습 자료를 보관하던 곳에서
목숨을 끊는,
비극적인 일이 발생하였습니다.

———

사망 1주일 전, 학생 사이의 다툼이 화근이었습니다. 수업 중에 한 학생이 다른 학생의 가방을 연필로 찔렀고, 이를 막던 학생의 이마에 상처가 난 사고였습니다. 소위 '연필 사건'이 발생한 날(7월 12일)부터 고인이 사망하기까지 학부모와의 통화가 수차례 있었다는 사실이 확인되면서 학부모의 악성 민원이 주요 사인으로 추정되었습니다.

2년 차 신규 교사의
사망 소식을 들은 교사들은
큰 충격에 빠졌습니다.

———

수백 개의 추모 화환이 고인이 근무했던 학교 주위를 빙 둘렀습니다. 검은색 옷을 입은 추모객들이 국화 송이를 들고선 학교 담장을 따라 수 백 미터 줄을 섰습니다. 추모 메시지를 담은 포스트잇과 꽃이 학교 건물 한쪽을 빼곡히 덮었습니다.

2

**사건은 결국 무혐의로
종결되었습니다.**

———————

11월 14일, 경찰은 고인의 동료 교사와 친구, 학부모 등 관계자들을 조사하였지만 지금까지 확보한 자료에서 범죄 혐의점으로 볼 수 있는 내용은 발견하지 못했다며 넉 달 만에 사건을 종결하였습니다. 사인은 업무 스트레스와 개인 신상 등의 복합적인 요인이라 발표하였습니다.

5

4

3

**교사만 애도하고 추모한 것은
아닙니다.**

———————

많은 시민들이 사회관계망 서비스(SNS) 프로필에 검은 리본을 달며 슬픔에 동참하였습니다. "오죽했으면 이렇게까지 했을까?"라며 교사들을 위로하였습니다. 범시민적 추모 열기로 번지면서 점차 악성 민원은 한 개인의 차원을 넘어 공교육의 근간을 흔드는 문제로 인식되기 시작하였습니다.

**교권 침해는
사회가 함께 해결해야 할
공공의 과제로 급부상하였습니다.**

———————

서이초 교사와 비슷한 처지에 놓였지만 학교로부터 어떤 보호와 도움도 받지 못하는 교사, 나도 언젠가 같은 일을 당하게 될지 모른다는 불안과 두려움을 느끼는 교사, 동료 교사가 겪는 어려움을 옆에서 지켜볼 뿐 어떤 도움도 줄 수 없는 자신을 보며 무력감에 빠진 교사, 여기에 학교 공동체를 무너뜨리는 악성 민원의 심각성에 공감한 학생과 학부모 등이 한목소리를 내면서 교권 침해는 사회가 함께 해결해야 할 공공의 과제로 급부상하였습니다.

여파 사건

생쫀
'그저 운이 좋았을 뿐'

1

7월 22일,
교사들은 자발적으로
첫 집회를 열었습니다.

"답답해서 안 되겠습니다. 일단 모여보죠." 초등교사 온라인 커뮤니티에 올라온 한 교사의 외침이 불씨가 되었습니다. 검은 의상과 검은 마스크를 착용한 5천여 명의 교사들이 서울 1호선 종각역 일대를 가득 메웠습니다.

2

젊은 교사의 죽음이
남 일 같지 않다며
교사들의 생존권을 보장해 달라고
외쳤습니다.

교육부를 향하여 서이초 교사 사망에 대한 학부모의 인권 침해 여부와 교육 당국의 대응과 관련한 진상 규명이 필요하다며 근본적인 대책을 요구했습니다. 발언대에 오른 교사들은 아동학대 민원에 시달린 기억을 떠올리며 생존이 흔들리는 처지를 개탄하였습니다.

———

사회관계망 서비스(SNS)를 통해 전국에서 모인 교사들이 자발적으로 모임을 진행하였습니다. 9년 차의 한 초등교사는 "나는 운이 좋아 아이들이 말을 잘 들어줬고, 운이 좋아 이 자리에 살아있을 뿐이다."라고 말했습니다. 전국 교사 일동은 공식 성명문을 통해 조속한 진상 규명을 촉구하고 교사 생존권 보장에 대한 대처 방안을 강력히 요구하였습니다.

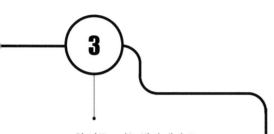

3

한 신규교사는 발령 대기 중
기간제 교사를 하였는데,
교실에 들어간 지 1시간 만에
아동학대 신고를 당한 사연을
토로했습니다.

———

맡은 반은 학부모 민원으로 담임교사가 교체된 학급이었는데 단지 학생의 기분을 나쁘게 했다는 것이 아동학대 신고의 이유였습니다. 교사가 제대로 교육을 할 수 있도록 교권을 보장하는 제도를 만들어 줄 것과 안전한 학교를 위해 악성 민원인들을 강력하게 처벌할 수 있는 법적 근거를 마련해 달라며 호소했습니다. 교사가 바라는 것은 오로지 마음껏 교육할 수 있는 환경임을 모두가 한마음으로 외쳤습니다.

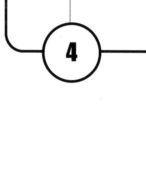

4

2

교사들은 교권 보호 제도 마련, 아동학대처벌법 개정 등과 같은 교육 환경 개선을 촉구하였습니다.

1

7월 29일, 낮 최고 기온이 33도까지 오른 땡볕 아래 2차 교사 집회가 열렸습니다.

———

경기, 강원, 경남, 경북, 전남, 전북, 충남, 충북 교사 1천900명은 버스 45대를 대절하여 집회에 참여하였습니다. 교권 침해의 원인을 교사의 전문성 부족으로 보는 정부에 항의하고자 광화문 정부서울청사 인근으로 집결하였습니다. 사직로 4~5개 차로 500m를 검은 옷을 입은 3만 명의 교사들이 가득 채웠습니다.

전남 특수학교에 근무하는 9년차 교사는 "설리번 선생님이 요즘 시대에 대한민국에 있었다면 아동학대로 검찰에 넘어가기 때문에 헬렌 켈러라는 위인은 이 세상에 없었을 것이다. 아동학대법 앞에 특수교사는 예비 범법자가 된다. 범법자가 되는 것도 두렵고 맞는 것도 두렵다. 하지만 맞는 것을 선택할 수밖에 없는 특수교사가 여기 있다."라며 고충을 털어놨습니다. 또한, "먼저 떠난 선생님 그리고 후배 선생님, 당신이 나다. 내가 겪었던 일, 선생님도 겪었다. 과거에 내가 가만히 맞고 침묵했다면 이제는 말하겠다. 과거에 내가 당신이 되지 않도록 행동하겠다."라며 결의를 밝혔습니다. 교권 침해의 원인을 교사의 무능에서 찾는 교육 당국의 왜곡된 시선을 꼬집고, 악성 민원에 대한 실효적인 대책 마련을 요구하였습니다.

2차 집회

교권 침해
'당신이 나다'

3

집회에는 교사 외에
고등학생, 예비 교사,
교육대학과 사범대 교수들도
동참하였습니다.

———

특히 서울교대 교수진 102명은 교육 정상화를 위한 성명서를 발표하였습니다. 이번 사태를 교사 인권의 추락으로 규정하고 "교육이 현재와 미래를 살아가는 우리 모두의 것이라면, 그 책임 또한 우리 모두의 것이다."라고 말하였습니다. 교사 인권의 회복을 위해 교사, 학부모, 학생, 교육 관계자 모두가 동참할 것을 주장하였습니다.

4

전국 교사 일동은 교권 침해를
일부 교사만 겪는 문제가 아니라
수많은 교실에 걸쳐 만연해 있는
문제임을 알렸습니다.

———

"오래 일하려면 혼내지 마세요. 못 본 척하세요. 꼭 해야 하는 것이 아니면 굳이 하지 마세요."라는 말을 할 정도로 교육의 근간이 뿌리째 흔들리고 있음을 경고하였습니다. 다시 뜨거운 열정으로 교사들이 아이들을 가르칠 수 있도록 교육 환경 개선을 촉구하였습니다.

교권 침해,

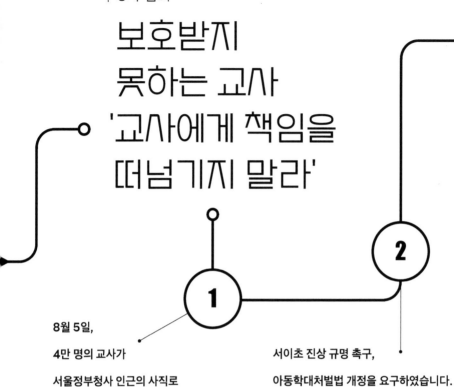

보호받지
못하는 교사
'교사에게 책임을
떠넘기지 말라'

8월 5일,

4만 명의 교사가

서울정부청사 인근의 사직로

5개 차로를 가득 메운 가운데

3차 교사 집회가 열렸습니다.

———

비수도권 지역 교사 2천700여 명이 버스 80대를 대절하여 상경하였습니다. 처음으로 숨진 교사의 유족이 참여하였습니다. 서이초 교사의 사촌 오빠는 "진상 규명을 촉구한다! 진상 규명을 촉구한다!"라고 울먹이며 구호를 외쳤습니다.

서이초 진상 규명 촉구,

아동학대처벌법 개정을 요구하였습니다.

———

천안의 한 초등교사는 서이초 선생님의 극단적 선택과 관련한 브리핑이 있었지만 조사 기간이 굉장히 짧았던 것 같고 내용도 충분치 않았다며, "정부가 발표한 일련의 정책들은 현장 교사들의 목소리와 큰 괴리가 있어 답답한 마음에 3주 차에도 집회에 참여했다."라고 말하였습니다. 교권 붕괴를 일으킨 원인을 학생인권조례의 탓으로 돌리는 정부와 여당을 향해 "현장 의견을 수렴하지 않은 정치적 의도로 교사를 기만하고 고인을 모독하는 행위이다."라며 분통을 터뜨렸습니다.

3

4

───────

학교폭력 책임 교사로 각종 민원과 국민 신문고의 대상이 되고 말았다며, 그 과정에서 가장 힘들었던 것은 "피해를 입은 선생님을 보호하지 않는 교육지원청과 학교장이었다."라고 밝혔습니다. 교권 보호를 위해 꼭 필요한 일을 하는 교육청이 되어 달라고 호소하였습니다.

공립유치원 교사는 거듭된 유산으로 어렵게 세 번째 아이를 갖게 되었지만 학부모의 악성 민원으로 산전 육아 휴직을 냈습니다.

───────

하지만 민원은 지속되었고, 학교장은 아동학대 의심 정황으로 자신을 신고했다고 하소연하였습니다. "미칠 듯이 억울하고 너무 답답한 마음에 유서를 쓰면 사람들이 내 말을 믿어줄까 싶었다. 시간이 지나 아동학대 무혐의 판정이 났지만 지금도 그 학부모들은 자신을 아동학대 교사로 기억할 것이다."라며 억울한 심정을 토로하였습니다. 교권 침해가 명백한 사안임에도 불구하고 모든 책임을 교사에게 전가하는 학교장과 악성 민원으로부터 교사가 보호받지 못하는 법과 제도에 일침을 가했습니다.

5

이날 집회에는 교사뿐만 아니라 교감과 교장들도 참여하였습니다.

───────

경기 부천의 초등학교 교장은 연단에 올라 전국의 175명의 교장 선생님이 같은 마음을 내주었다며 "교사답게 가르칠 권리를 찾고 아이들의 건강한 성장을 위해 노력하는 교사들의 절절한 외침과 행동에 교장들도 함께 하겠다."라고 말하였습니다. 전국 교사 일동은 서이초 사건의 철저한 진상 규명 촉구, 교육활동을 위한 특별법 제정, 일원화된 민원 창구 마련을 주문하였습니다.

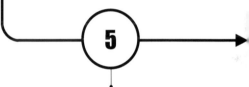
더 훌랄지 못하는 교사, '교사에게 책임을 떠넘기지 말라'

8월 12일,
비가 내리는 궂은 날씨에도
교사들은 우비를 꺼내 입고
우산을 쓰며
4차 교사 집회를 열었습니다.

───────

아동복지법 개정과 생활지도권 보장이 적힌 피켓을 든 3만 명의 교사들이 청계천 일대에 모였습니다. 4~5개 차로 400m를 가득 메운 집회 행렬은 을지로입구역까지 늘어섰습니다.

①

4차 집회

연대
'하나의 목소리로 외치다'

②

처음으로 6개 교원단체가 참여한 가운데
안전한 교육 환경을 위해
조속한 법 개정을 촉구하는
공동결의문을 발표하였습니다.

───────

교사노동조합연맹, 새학교네트워크, 실천교육교사모임, 전국교직원노동조합, 좋은교사운동, 한국교원단체총연합회는 교사가 더 이상 가르치는 일에 의미를 잃어버리지 않도록, 각종 행정 업무 처리보다 학생을 가르치는 교육을 우선할 수 있도록 필요한 모든 조치를 함께 고민하고 요구하고 실현하겠다고 말했습니다.

────────

무반응, 무대처로 일관하는 교육 당국에 교사들은 또 한 번 분노하였습니다. 더 이상 억울한 고소와 죽임을 당하는 교사가 나오지 않아야 한다며, 이를 위해 교사와 학생 모두에게 안전한 교육 환경을 법과 제도로 보장할 것을 요구하고 교원단체와 교육청, 교육부, 국회가 즉시 행동할 것을 촉구하였습니다.

**전국교육대학교 교수협의회도
성명을 발표하였습니다.**

────────

현 사태는 한 교사의 안타까운 사연이 아닌 이 땅의 모든 교사가 마주한 교권 추락의 현실이자 전체 공교육의 붕괴이며, 이런 일이 더 이상 일어나지 않도록 모든 수단을 동원해 총력 대응하겠다고 교사를 지지하였습니다.

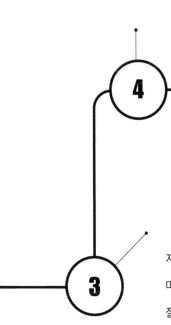

5

4

3

**국회 교육위원회 위원인
더불어민주당 강민정 의원은**

────────

교원의 정치 기본권을 되찾기 위해서도 지금처럼 한 목소리로 얘기해 주시기 바란다며, "교육과 관련된 법, 정책, 예산은 교육을 잘 아는 교사들이 만들어야 한다."라고 강조하였습니다. 교사가 모든 일을 혼자 감당하지 않는 환경과 학생들에 대한 지원에 최선을 다할 것을 밝혔습니다.

연대, '하나의 힘으로 외치다'

8월 19일,

국회의사당 앞에서

5차 교사 집회가 열렸습니다.

─────

전국 각지에서 모인 5만여 명의 교사들은 아동학대 관련 법 개정을 요구하며 국회로 모였습니다. 국회의사당 앞 삼거리부터 여의도공원 사거리까지 행렬을 이루어 "억울한 교사 죽음, 진상을 규명하라. 아동학대 관련 법을 개정하라. 국회는 행동하라."라고 구호를 외쳤습니다.

2

"딸이 커서 선생님이 되고 싶다는 말을 할 때면, 가슴이 철렁해요."

─────

경기도 18년 차 초등교사는 위와 같이 말하며 "하루하루 최선을 다해 살고 있는 교사들이 아동학대 고소, 악성 민원으로 의지가 꺾이고 포기하게 된다면 그 피해는 고스란히 아이들에게 돌아갈 것이다."라고 말하였습니다. 교사에게는 가르칠 권리를, 학생들에게는 배우고 성장할 권리를 지켜주길 바란다고 호소하였습니다.

1

5차 집회

아동학대 관련법 '국회는 행동하라'

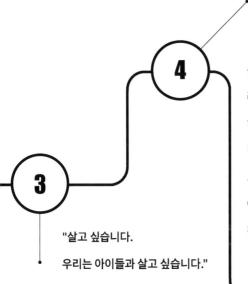

조희연 전국시도교육감협의회장은 선생님의 교육활동 보호를 위한 대책 마련과 시행에 힘쓰겠다고 약속하였습니다.

———

정당한 훈육이 아동학대로 도전받고 있는 현실, 교육전문가로서의 교사 권리뿐 아니라 한 인간으로서의 인권마저도 보장받지 못하고 있다는 절규에 죄송하다고 사과하였습니다. 아동학대처벌법을 포함한 관련 법률과 교원지위법 개정을 정부와 국회에 촉구하며 여·야·정·교육감협의회를 통해 법 개정에 앞장서겠다고 밝혔습니다.

"살고 싶습니다. 우리는 아이들과 살고 싶습니다."

———

울부짖은 시각장애인 특수교사는 아동학대 혐의로 고소를 당하여 2천500만 원의 합의금을 주고 사건을 마무리한 사연을 들려주었습니다. 학부모의 부탁으로 가출한 학생을 훈육했던 일이 빌미가 되어 고소와 압수수색, 두 차례의 경찰 수사를 받았다며 교단에서 제대로 피지 못하고 지는 꽃이 된 교사들을 위해 살아남겠다고 절규하였습니다.

전국 유치원 및 초·중·고 교장 803명도 공동성명서를 냈습니다.

———

학생과 학부모, 교육 관련 단체 등이 합심하여 교사와 학생이 안전한 교육 환경에서 함께 배우고 성장할 수 있도록 국회가 관련 법률을 제·개정해야 한다고 요구하였습니다. "교육의 전문가는 교사이다! 현장의 목소리를 반영하라!"며 국회의 책임 있는 행동을 촉구하였습니다.

현장의 목소리
'우리가 무엇을 하지 않았나'

참가자들은 무너진 공교육을 정상화하고
교권을 회복하기 위해
아동복지법 개정이 필요함을
한 목소리로 외쳤습니다.

————

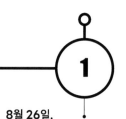

1

8월 26일,
국회에 교권 관련 입법을 촉구하기 위해
6차 교사 집회가 열렸습니다.

————

명예퇴직을 앞두고 집회에 참석한 18년 차 서울 초등교사는 "교직을 평생직장으로 여겼는데 중간에 그만두게 될 줄은 몰랐다."라며 학교폭력 업무를 하다 행정심판을 받게 되었고 비록 승소하였지만 약 2년 후에 경찰인 학부모에게 허위 공문서 작성과 허위 작성 공문서 행사로 고발당했던 사연을 말하였습니다. 3개월 후에 '혐의 없음'이라는 당연한 결과가 나오자 끝내 울음을 터뜨리고 말았다며, 1년 6개월 동안 학교폭력전담교사의 일을 하다 몸무게는 10kg 이상이 빠지고 천정이 빙빙 돌 정도로 어지럼증이 생기는 등, 스무 개 이상의 질병을 얻었다고 했습니다. 손발이 꽁꽁 묶인 채 보호자들의 감정 쓰레기통이 되었기에 어쩔 수 없이 명예퇴직을 선택할 수밖에 없었던 자신의 심경을 고백하였습니다.

6만여 명의 교사들이 운집하면서 국회의사당 앞 삼거리에서부터 여의도공원 사거리까지 양측 차선 전체가 통제되었습니다. 국회를 향해 "국회의원은 나와라! 국회의원은 나와라!"라고 연신 외치면서 법 개정에 미온적 태도를 보이는 국회를 질책하였습니다. 현장 교사들이 법률을 분석하고 정책을 만들어도 국회가 듣지 않기에 '현장의 목소리를 반영하라, 입법 촉구 추모집회'라는 이름을 붙였다며 이번 집회의 취지를 설명하였습니다.

2

"우리가 무엇을 하지 않았나!

당신들은 도대체 무엇을 했나!"

────────

12년 차 전북 초등교사는 교사 대부분이 들었을 법한 질문, '선생님은 대체 무엇을 했느냐? 학교는 무엇을 했느냐?'는 화두를 던졌습니다. 우리는 교육을 대표하는 자리에는 올라본 적도 없고 그런 권한을 가져본 적도 없지만 교사가 되면서부터 이 질문을 수없이 들어야만 했다며 분통을 터뜨렸습니다. 하지만 "우리가 무엇을 하지 않았나! 우리가 학교폭력이 무엇인지 이런 행위가 왜 잘못된 것인지 가르치지 않았나! 무슨 일이 있었는지 조사하려는 교사의 노력이 어째서 가해 학생에게는 낙인으로, 피해 학생에게는 가해 학생을 감싸주려는 부당한 일로 비쳐야만 하느냐! 이 과정에서 대체 우리는 무엇을 하지 않았냐!"라며 "그러면 상황이 이렇게 될 때까지 당신들은 도대체 무엇을 했느냐?"라고 교육 당국을 향해 일갈하였습니다.

최교진 세종특별시교육감은 서한을 통해 9월 4일 공교육 멈춤의 날을 지지하였습니다.

────────

전국 교사 일동은 억울한 교사의 죽음에 대한 진상 규명, 현장의 간절함을 담은 실효성 있는 대책, 공교육 정상화를 위한 아동학대 관련 법 개정을 주문하였습니다.

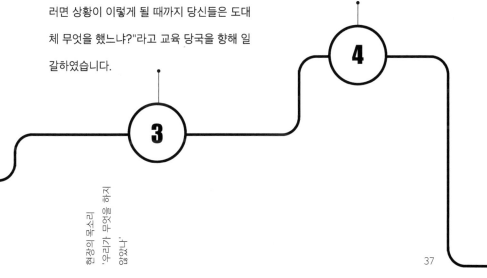

3

4

현장의 목소리
'우리가 무엇을 하지 않았나'

9월 2일,

공교육 멈춤의 날을 이틀 앞두고

7차 교사 집회가 열렸습니다.

————

'50만 교원 총궐기 추모 집회'라는 이름에 걸맞게 전국의 30만 명 교사들이 국회의사당 앞에 모였습니다. 잇따른 교사들의 사망 소식과 지지부진한 법 개정, 공교육 멈춤의 날 참가자를 상대로 엄포를 놓은 교육부의 징계 지침 등이 교사들을 더욱 화나게 만들었습니다. 집회 참여 의지가 격화되어 전국에서 600대 이상의 버스가 대절되는 등, 국회 앞 8개 차로부터 여의도공원 일부까지 전 차로 및 인도 등이 검은 옷을 입은 교사들로 가득 메워졌습니다.

공교육 멈춤의 날에 집단행동에 나설 경우

불법 행위로 엄정히 대응하겠다는

교육부를 향해 교사들은

비판의 목소리를 높였습니다.

————

경기도 7년 차 교사는 연단에 올라 교육부가 법과 원칙에 의거해 엄정하게 대응하겠다고 교사를 겁박한 말을 꼬집으며, "우리가 법과 원칙을 지키지 않은 적이 있던가, 법과 원칙을 지키지 않은 것은 누구인가, 우리는 누구보다 법과 원칙을 열심히 지켰다."라고 반문하면서 "법과 원칙을 지키다가 돌아가신 많은 선생님들의 죽음을 함께 슬퍼하고 추모하는 것이 동료 교사로서의 법이자 원칙이다."라고 강조하였습니다.

1

2

7차 집회

30만 교사
'검은 점은 파도가 되다'

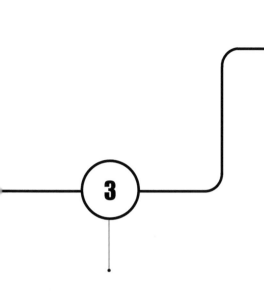

3

**"선생님들을 죽음으로 내몰아
공교육을 멈추게 만드는 사람들을 벌하고
정당한 교육활동을 하는 교사를
보호하는 것이 법과 원칙이다"**

———

집회에서 교사들은 "교육당국이 법과 원칙에 따라 엄정하게 대응해야 할 상대는 법과 원칙을 누구보다 열심히 지킨 우리 교사들이 아니라, 교사들을 죽음으로 내몰아 공교육을 멈추게 하는 사람들이어야 한다."라고 강조하였습니다. 또한 정당한 교육활동을 하는 교사를 보호하는 실효성 있는 방안 마련을 촉구하였습니다.

4

**교사들은 현장 교사 정책 TF팀을 구성하여
현장의 요구를 수렴하는
교육 정책을 제안하였습니다.**

———

약 300쪽 분량의 보고서를 작성하여 교육당국 및 국회에 제출하였음을 알렸습니다. 아동학대 관련 법 개정 시 학교의 특수성 반영, 아동학대 원스톱 전담팀과 법무팀 신설, 무분별한 직위해제 엄금, 악성 민원인 교육감 명의로 신고, 생활지도 관련 인력과 재정 지원, 법 제정, 전국적으로 일관된 민원 처리 시스템 구축, 학교폭력 사안 처리 교육청 이관, 교육당국과 현장 교사 간의 소통 등을 요구하였습니다.

30만 교사
'검은 점'이
파도가 되다

공교육 멈춤의 날 '잠시 멈춰 교육 회복을 바라다'

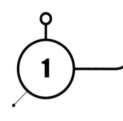

1

**9월 4일,
8차 교사 집회는 전국에서 열렸습니다.**

———

서울은 국회의사당 앞에서, 강원, 충청, 대전, 대구, 경북, 울산, 경남, 부산, 전북, 전남, 광주, 제주 등은 지역 교육청 앞에서 교사들이 모였습니다. 교육 당국의 경고에도 불구하고 국회의사당 앞에는 5만여 명이, 지방에는 7만여 명이 모임으로써 전국적으로 12만 명의 교사가 집회에 동참하였습니다.

2

참가자들은 "더 이상 교사를 죽이지 마라. 억울한 죽음의 진상을 하루빨리 규명할 것을 촉구한다."라고 외쳤습니다.

———

학교에 체험학습을 내고 집회에 참여한 경기도 초등학교 4학년 학생은 학교에서 어떤 아이는 "이거 이미 배운 것이라 재미없다."라고 말하거나 수업 시간에 종이를 마음대로 자르고 붙이며 비협조적인 태도를 보이는 경우가 있다고 털어놓았습니다. 그런 아이들은 잘못을 반성하기는커녕, 선생님께 대놓고 불평하는 일이 많다며, "내가 선생님이었다면 굉장히 힘들고 씁쓸했을 것이다, 학생들은 선생님을 존중하길 바란다."라고 말하였습니다. 학생의 학부모는 '교육부는 교사들의 권익을 보호하고 인권을 보호해야 할 텐데, 오히려 교사들의 순수한 마음을 담은 추모집회조차 정치적으로 규정하고 징계, 파면하겠다고 운운하는 이상한 상황이 대한민국 교육계의 현주소'라고 지적하였습니다. 서이초 사건의 제대로 된 진상 규명과 아동복지법 개정이 이루어질 때까지 학부모들이 함께 하겠다며 교사들에게 힘을 북돋아 주었습니다.

3

김현수 신경정신과 전문의는
일찍이 정신과 의사들의 협회인
대한신경정신과 의사회에서도
교사를 지지하는 성명서를 냈던 사실을
언급하였습니다.

───────

학교와 교사를 위해 많은 변화와 지원이 필요하며, 앞으로 교사들의 움직임에 더 강력한 지지를 보낼 것이라 말하였습니다. 선생님들과 함께 애도하고 분노하며 우리 시대 교사들의 아픔을 헛되이 하지 않기 위해 이 자리에 섰다며, 교사의 능력과 한계를 뛰어넘는 온갖 업무를 혼자 감당하지 말라고 당부하였습니다. "홀로 있지 말고, 혼자 두지 말고, 함께함으로, 교사가 꿈꾸고 국민들이 염원하는, 가르침과 배움이 있는 교실에 몇 걸음이라도 더 가깝게 가기를 바란다."라며 교사들을 위로하였습니다.

4

공교육 멈춤의 날로 일부 학교에서
불편을 겪는 일도 있었지만
우려한 만큼의 큰 혼란은
발생하지 않았습니다.

───────

어떤 가정에서는 체험학습을 신청하고 자녀와 공교육의 현실을 돌아보는 시간을 가지기도 하였습니다. 다수의 국민들이 교사가 당면한 현실을 이해하고 공감하였기 때문입니다. 이러한 사회적 분위기에 밀려 교육부는 집단 연가나 병가를 낸 교사를 징계하겠다는 방침을 공식 철회하였습니다.

공교육 멈춤의 날,
정시 마비
공교육 엄중히 돌보기

국회 교육위원회와 법사위원회를 통과한 교권보호 4법이 본회의에서 1호 법안으로 의결하도록 목소리를 높였습니다.

———

9년차 초등교사는 "교육부가 고작 내놓은 것은 허울뿐인 고시안과 모두가 반대하는 행정직과 공모직을 통해 민원을 전달받는 민원 대응팀이다. 폭탄 돌리기일 뿐이라는 우려 섞인 목소리에도 불구하고 현장 적용에 관한 논의가 이미 이루어지고 있다."라며 교육부 고시안을 꼬집었습니다. "교권 침해 사실을 생기부에 기재하자는 해결책을 내놓은 것은 소송 파티의 시작일 뿐이다."라며 비판의 목소리를 높였습니다.

9차 집회

교권보호 4법
'교권보호
첫 삽을 뜨다'

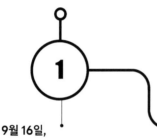

1

9월 16일,
교권보호 4법 및 아동복지법,
아동학대처벌법 개정을 요구하는
9차 교사 집회가 열렸습니다.

———

3만 명의 교사들은 검은 옷차림으로 국회의사당대로 4개 차로와 일대 인도를 가득 메운 채 국회에 항의하는 표현으로 등을 보이고 앉았습니다. 우리 모두가 한 표씩 지닌 무서운 유권자라며, 그것을 보여주기 위해 등지고 앉은 것임을 강조하였습니다.

2

공교육 멈춤, 그날을 기억하며

15년 차 중등교사는 8년간 보건복지부가 관리하는 정보시스템에 아동학대 범죄를 저지른 사람으로 입력, 관리되고 있는 유·초·중·고 교직원 수가 **9천910명**이라고 말하였습니다.

———

이는 현직 교사 100명 중 약 2명에 해당하는 수치로 이들은 국가에 의해 아동학대 범죄자로 분류되어 명단이 관리되고 있다고 설명하였습니다. 아동학대로 신고를 당한 교사 중 98.4%인 다수가 무혐의를 선고받음에도 국가 시스템에 아동학대 행위자로 등록되는 것이 현실임을 알렸습니다. "무분별한 아동학대 신고가 교사를 아동학대자로 낙인찍는 잘못된 결과를 낳고 있다."라며 문제의 심각성을 지적하였습니다. 교권보호 4법이 교육위원회와 법사위원회를 통과한 것은 환영할 만한 일이지만, 교육부와 교육청, 학교장은 제대로 된 역할을 하지 못하고 있다며 비판하였습니다. 아직 이뤄지지 않은 아동복지법 개정, 학교폭력예방법 개정에 대해서도 힘을 모아 목소리를 내줄 것을 호소하였습니다.

전국 교사 일동은 교권보호 4법 9월 정기국회 1호 법안 의결, 아동복지법 개정, 실효성 있는 대책 마련 등을 요구하였습니다.

———

"우리가 요구하는 것은 학생인권을 추락시키는 것도, 모든 학부모들을 적으로 돌리는 것도 아니며, 그 어떤 정치적 의도를 달성하는 것도 아니다."라며 더 이상 단 한 명의 동료도 잃지 않겠다고 결의하였습니다.

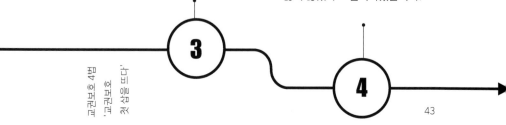

10월 14일,
교권보호 4법이 통과된 후
10차 교사 집회가 열렸습니다.

———

아동복지법 개정 및 현실적인 악성민원 대책 등을 요구하고자 3만 명의 교사들이 국회의사당 앞에 모였습니다. "교권보호 4법이 통과되었지만 근본적인 문제가 해결되지 않았고 교육 현장은 여전히 어렵다며 공교육 정상화가 실현되는 그날까지 끊임없이 외칠 것이다."라고 선언하였습니다.

"교장의 임무는 교사들의
교육활동을 보호하는 것입니다."

———

서울의 한 초등학교 교장은 현재 학교 현장에서는 변화를 체험할 수 없다고 주장하였습니다. "원래 하던 것을 서류상으로 그럴듯하게 하는 것처럼 만들고, 지원 없이 현재 인력을 활용하여 민원 대응팀을 꾸리라고 하니, 누가 그 일을 맡을지 서로 싸우도록 만드는 식으로는 변화를 일으킬 수 없다. 우리가 겪는 어려움은 단순한 악성 민원이나 문제 학생 때문만이 아니며, 모든 것을 현장 교사들이 감당하게 만드는 해결방식이 문제이다."라며 교장의 역할이 지도·감독에서 교사 전문성에 대한 보호와 실제적 지원으로 전환되어야 한다고 말하였습니다.

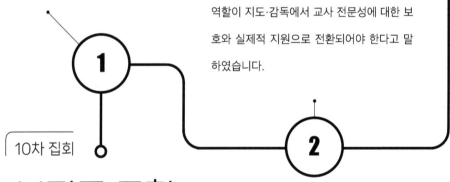

10차 집회

1

2

불평등 조항
'아동학대 관련법
개정을 외치다'

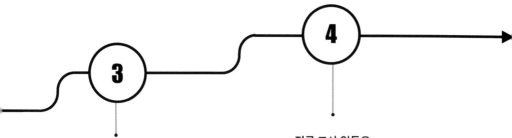

아동학대 사건 변호를 맡고 있는 변호사는

"아동복지법 제17조제5호의

정서적 학대 조항은

교사에게 지나치게 불평등한 조항이다."

라고 말하였습니다.

———

학부모는 교사를 정서적 학대범죄로 쉽게 고소할 수 있는 반면, 교사는 아동학대 고소만으로도 피의자 신분이 되고 직위해제와 형사처벌 등 징계처분 후속조치들로 정신적인 고통에 시달리는 점을 근거로 제시하였습니다. 무죄를 받더라도 마땅한 법적 대응 수단이 없다며 「아동복지법」 제17조제5호는 교사에게 지나치게 불평등한 조항이라고 말하였습니다. "아동복지법 개정 요구는 교사에게 특권을 주자는 말이 아니다. 교사의 교육활동은 아동복지법 적용을 하지 말아야 한다."라고 주장하였습니다.

전국 교사 일동은

아동복지법 17조 개정을 촉구하였습니다.

———

법 적용의 요건을 명확히 하여 무분별한 아동학대 의심 신고를 방지하고 수사를 종결할 수 있는 법적 근거 마련을 요구하였습니다. 학대 유형을 가정 내, 외와 같이 영역별로 엄격하게 구분할 것을 주문하였습니다. 교권 보호 4법만으로는 무분별한 아동학대 신고 문제를 해소할 수 없음을 분명히 밝혔습니다.

불평등 조항
'아동학대 관련법 개정을 외치다'

공교육 정상화
'교사는 가르침을
포기하지 않는다'

1

10월 28일,

교권 회복의 근본적 해결을 촉구하고자

11차 교사 집회가 열렸습니다.

———

역대 집회 중 두 번째로 많은 12만여 명이 운집한 가운데 국회의사당대로 양방향 6개 차로와 인도는 교사들로 가득 찼습니다. 교사들은 정서적 학대 행위를 금지하는 「아동복지법」 제17조제5호가 교육활동을 하려는 교사에게 고소·고발이라는 매서운 칼날이 되고 있다며, "교사의 생활지도가 더 이상 정서 학대가 되지 않도록 하라."라고 외쳤습니다.

12년 차 초등교사는 10년 전 가르쳤던 제자로부터 고소당한 사연을 들려주었습니다.

———

원래 아동학대 공소시효는 7년이었으나 2014년에 아동복지법이 개정됨에 따라 아동이 성년이 될 때까지 공소시효를 유예하고 성년 이후부터 공소시효가 재개되었다고 말하였습니다. "만약 1학년 학생을 맡으면 그 학생이 만 26세가 될 때까지 아동학대 혐의로 고소를 당할 수 있다."라고 설명하면서, 무려 약 20년 동안 고소의 위험에 노출되어 있는 현실에 분통을 터뜨렸습니다. 고소장에는 삐뚤빼뚤한 글씨체로 약 3줄, 100자 정도로 고소 내용이 쓰여있었다며, "학생의 진술만으로 고소를 당하고 나니 앞으로 학생들을 어떻게 지도해야 할지 막막하다."라고 답답한 심정을 토로하였습니다. "우리는 아동학대 고소가 무서워서 그저 흐린 눈으로 아이들을 바라보고 생활지도를 포기하고 있지는 않나."라며 공교육 정상화를 소리높여 외쳤습니다.

"아동복지법 제17조제5호 정서적 학대 조항에 대한 헌법 소원을 준비 중입니다."

———

박상수 변호사는 "현재 겪고 있는 문제는 2012년에 도입된 정서적 학대 조항과 학교폭력예방법상 학폭위 의무 개최 요구 조항 그리고 학폭 처분의 생기부 기재 의무 조항 때문이며, 이 문제가 해결되지 않으면 심각한 문제가 야기될 것"이라고 경고하였습니다. 구성요건에 정서적 학대의 내용이 무엇인지를 구체적으로 적시하거나 아동을 학대할 목적이 없는 훈육·생활지도 행위는 처벌 대상에서 제외해야 한다고 주장하였습니다.

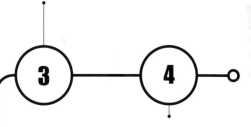

3   **4**

"공교육 정상화를 정부에 요구합니다."

———

전국 교사 일동은 '아동복지법 즉각 개정, 교사의 죽음과 관련하여 철저한 진상 조사와 진실 규명, 악성 민원으로 인한 피해를 막을 수 있도록 실효성을 갖춘 표준화된 민원 처리 시스템 구축, 학교폭력 사안 조사와 처리의 경찰과 교육부 이관' 등을 요구하였습니다.

2

공교육 정상화 '교사는 가르침을 포기하지 않는다'

집회별 구호

교사, 광장에서 외치다

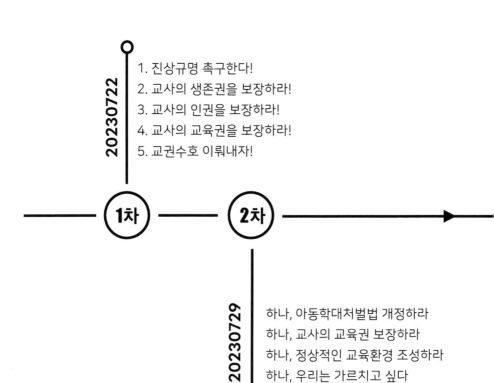

20230722

1. 진상규명 촉구한다!
2. 교사의 생존권을 보장하라!
3. 교사의 인권을 보장하라!
4. 교사의 교육권을 보장하라!
5. 교권수호 이뤄내자!

1차 — 2차

20230729

하나, 아동학대처벌법 개정하라
하나, 교사의 교육권 보장하라
하나, 정상적인 교육환경 조성하라
하나, 우리는 가르치고 싶다
하나, 학생들은 배우고 싶다

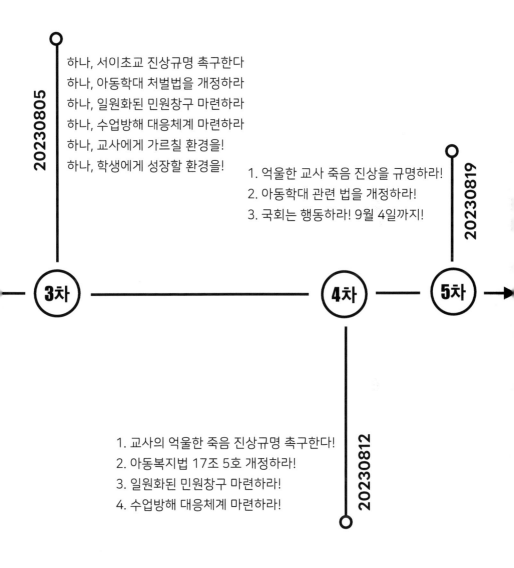

20230805

하나, 서이초교 진상규명 촉구한다
하나, 아동학대 처벌법을 개정하라
하나, 일원화된 민원창구 마련하라
하나, 수업방해 대응체계 마련하라
하나, 교사에게 가르칠 환경을!
하나, 학생에게 성장할 환경을!

1. 억울한 교사 죽음 진상을 규명하라!
2. 아동학대 관련 법을 개정하라!
3. 국회는 행동하라! 9월 4일까지!

20230819

3차 ⎯⎯⎯ **4차** ⎯⎯⎯ **5차** →

1. 교사의 억울한 죽음 진상규명 촉구한다!
2. 아동복지법 17조 5호 개정하라!
3. 일원화된 민원창구 마련하라!
4. 수업방해 대응체계 마련하라!

20230812

교사,
공장에서 찍히다

49

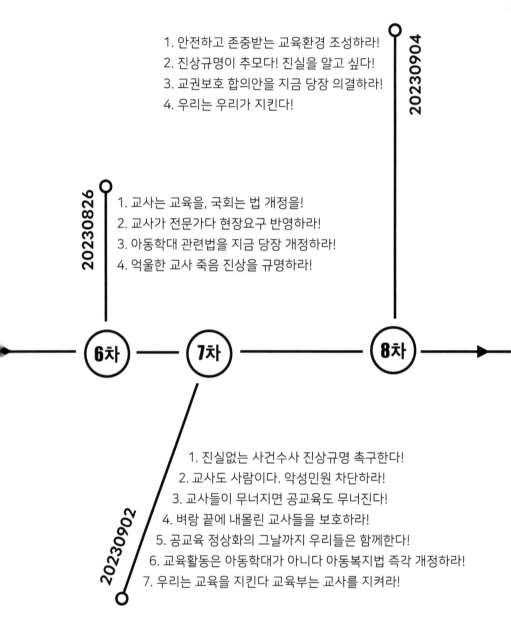

1. 안전하고 존중받는 교육환경 조성하라!
2. 진상규명이 추모다! 진실을 알고 싶다!
3. 교권보호 합의안을 지금 당장 의결하라!
4. 우리는 우리가 지킨다!

20230904

1. 교사는 교육을, 국회는 법 개정을!
2. 교사가 전문가다 현장요구 반영하라!
3. 아동학대 관련법을 지금 당장 개정하라!
4. 억울한 교사 죽음 진상을 규명하라!

20230826

6차   7차   8차

1. 진실없는 사건수사 진상규명 촉구한다!
2. 교사도 사람이다. 악성민원 차단하라!
3. 교사들이 무너지면 공교육도 무너진다!
4. 벼랑 끝에 내몰린 교사들을 보호하라!
5. 공교육 정상화의 그날까지 우리들은 함께한다!
6. 교육활동은 아동학대가 아니다 아동복지법 즉각 개정하라!
7. 우리는 교육을 지킨다 교육부는 교사를 지켜라!

20230902

20231028

1. 고소고발 남발하는 아동복지법 개정하라
2. 생활지도와 정서학대 명확하게 구별하라
3. 공교육이 무너진다 보건복지위 응답하라
4. 교실현장 파괴하는 악성민원 처벌하라
5. 무혐의가 웬말이냐 진상을 규명하라
6. 억울한 교사죽음 순직처리 촉구한다
7. 학교폭력 전면이관 지금당장 실시하라

20230916

1. 무분별한 정서 학대, 교사 적용 배제하라!
2. 교권 4법 1호 통과, 9월 국회 의결하라!
3. 교사들의 억울한 죽음, 진상을 규명하라!
4. 죽지 말고 살아가자, 손을 잡고 연대하자!
5. 허울뿐인 교육부 고시, 예산 인력 투입하라!
6. 생기부가 만능키냐, 근본 대책 마련하라!

9차 ─── **10차** ─── **11차**

1. 고소남발 아동복지법 전면개정 촉구한다
2. 인격살인 악성민원 강력하게 처벌하라
3. 자살아닌 타살이다 교사순직 인정하라
4. 학폭제도 전면이관 교육부가 앞장서라
5. 생활고시 적용위한 예산인력 투입하라
6. 아동권리 침해하는 늘봄정책 폐기하라
7. 현장의견 무시하는 유보통합 중단하라

20231014

교사,
광장에서 외치다

CHAPTER 01

RECORD

- - - - // - - - —

아스팔트 　　 공교육 멈춤,
　　　　 그 날을 기억하며

CHAPTER 02

REFLECTION

- //   -   - -   -   -   //

광장에서 학교로

교권보호 4법

무엇이 달라졌나요?

2023년 9월 21일.

교사들의 뜨거운 외침으로

교권보호 4법이 통과되었습니다.

교원지위법은 어떻게 바뀌었나요?

첫째, 정당한 사유 없이 직위 해제할 수 없습니다. 둘째, 학교장은 교육활동 침해행위를 축소 은폐할 수 없고, 이를 위반할 경우에는 징계 조치를 받습니다. 셋째, '학생생활지도 방안'으로 교육활동을 보호합니다. 넷째, 교육활동 침해행위에 '형법에 따른 무고의 죄에 해당하는 행위'까지 포함합니다. 다섯째, 보호자가 교육활동을 침해한 경우에 특별교육을 받고, 미이행 시 과태료를 부과할 수 있습니다. 여섯째, 학교교권보호위원회는 폐지하고, 지역교권보호위원회를 신설하여 시도교권보호위원회의 기능 중 일부를 이관합니다. 일곱째, 만약 교사가 학생 지도와 관련된 조사와 수사를 받을 경우, 교육감은 의견서를 제출해야 합니다.

법 개정을 외쳤지만, 사실 우리에게 익숙한 내용은 아닙니다. 평소라면 한 번도 들어보지 못했던 법 관련 용어들은 낯설고 생소합니다. 우선 교권보호 4법이 무엇인지 간단하게 살펴보겠습니다.

교권보호 4법이 무엇인가요?

교원지위법, 초·중등교육법, 유아교육법, 교육기본법을 말합니다. 교사의 정당한 교육활동을 보호하기 위해서는 이와 관련된 새로운 법 또는 개정된 법이 필요합니다.

초·중등교육법은 어떻게 바뀌었나요?

법령과 학칙, 교원의 정당한 학생생활지도에 대해 고의 또는 중대한 과실이 없는한, 아동복지법에 따른 아동학대범죄로볼 수 없습니다. 그리고 학교 민원은 학교장이 책임져야 합니다.

유아교육법은 어떻게 바뀌었나요?

교원의 유아생활 지도권이 신설되었습니다. 정당한 생활지도는 아동학대로 보지않는다는 조항이 포함되어 있습니다.

교육기본법은 어떻게 바뀌었나요?

부모 등 보호자가 학교의 정당한 교육활동에 협조하고 존중해야 한다는 점을 규정하였습니다.

오, 좋네요.

드디어 아동학대 신고의 두려움에서

벗어날 수 있게 된 건가요?

안타깝게도 그렇지 않습니다. 크게 달라진 게 없습니다. 교육부는 학생생활지도고시를 통해 학교에 책임을 떠넘기려 합니다. 교권을 침해한 학생을 분리하기 위해 필요한 인력과 예산을 지원하지도 않고 있습니다. 아동학대처벌법이 개정되지 않는 한, 악성 민원과 아동학대 신고로부터 교사가 시달릴 수밖에 없습니다.

아동학대처벌법이 뭐길래

이렇게 교사를 힘들게 하는 거죠?

아동학대처벌법은 가정에서 빈번히 일어나는 학대를 막기 위해서 2014년부터 시행한 법입니다. 신고가 접수되면 지체 없이 조사·수사·재판이 진행됩니다. 초기에 교사는 신고 의무자였지만 점점 학대 행위자로 바뀌었습니다. 법을 악용하여 교사를 상대로 신고하는 사례가 급증했습니다. 정당한 교육활동임에도 불구하고 교사가 보호받지 못하는 상황이 된 것입니다.

앞으로 우리가 계속 요구해야 할 것은 무엇인가요?

첫째, 아동복지법과 아동학대처벌법 개정을 촉구해야 합니다. 둘째, 교육활동 중 아동학대 신고는 지역교육청이 주관하여 지역교권보호위원회가 담당하고, 일상생활 아동학대 신고는 시·군·구가 주관하여 아동학대 전담 공무원이 담당하도록 요구해야 합니다. 셋째, 교권을 침해하거나 생활지도를 거부한 학생의 분리 조치에 따른 인력·예산 관련법을 마련하도록 요구해야 합니다. 넷째, '학생생활지도 방안'을 마련하는 데 학교장이 민원 책임을 담당하도록 요구해야 합니다. 다섯째, 보호자가 교권을 침해했을 때는 특별교육을 받거나 심리치료를 이수해야 합니다. 이를 불이행할 경우에 과태료 징수 법안이 이행되도록 요구해야 합니다.

선생님, 우리의 외침은 헛되지 않았습니다.
집회를 거듭하며 5천 명은 30만이 되었습니다.
검은 점은 물결이 되었고
검은 파도가 되었지요.
잠깐의 멈춤은 단절을 넘어
연대로 이어졌습니다.
공교육을 회복하는 날이
그리 멀지 않아 보이는 까닭도
모두가 선생님 덕분입니다.

학교생활인권규정

학생생활지도의 근거가 될 수 있을까요?

'교원의 학생생활지도에 관한 고시'의

현장 적용이 시작되었습니다.

학교에서는 교육부 차원의 고시를

각 학교 상황에 맞춰 구체적인 생활지도 방법을 정하는

'학교생활인권규정' 관련 논의가 한창입니다.

교사들의 간절한 외침으로 9월 21일에 국회에서 '교권보호 4법'이 통과 되었으며, 그중 아동학대와 관련된 일부 법은 9월 25일 국무회의를 거쳐 즉시 시행되었습니다. 그에 앞서 9월 1일부터 '교원의 학생생활지도에 관한 고시'의 현장 적용이 시작되었습니다. 학교에서는 교육부 차원의 고시를 각 학교 상황에 맞춰 구체적인 생활지도 방법을 정하는 '학교생활인권규정' 관련 논의가 한창입니다. 교원의 학생 생활지도 권한의 범위와 방식에 관한 기준을 세워 정상적인 교육활동의 근거로 삼기 위함입니다.

학교를 뜨겁게 달구는 '학교생활인권규정'

교사들의 정상적인 교육활동을 지켜달라는 아홉 차례의 목소리가 세상을 울렸습니다. 수치와 고통 속에서 스스로 목숨을 끊었던 동료 교사에게 보내는 미안함, 그리고 연대하고자 하는 마음은 아스팔트 위에 검은 파도를 만들었습니다.

2.
학교생활인권규정_
학생생활지도의
근거가 될 수 있을까요?

교육부 고시에 담긴 조항을 살펴봅시다.

흔히 교사의 학생 지도를 크게 '학습'과 '생활'로 구분합니다. '학습지도'가 국가 수준에서 시작하여 지역과 학교 수준을 거친 교육과정에 근거하고 있다면 '생활지도'는 무엇에 근거하고 있을까요? 생활지도는 초·중등교육법에서 원론적으로 다루었을 뿐, 구체적으로 학생의 어떤 영역을 어떻게 지도하는지와 관련된 사회적 합의도, 규정도 없습니다. 실체와 범위가 없는 모호한 영역의 생활지도는 교사를 궁지로 몰아넣는 수단으로 악용되어 왔습니다. 부당한 요구와 악성 민원과 같은 '비상식적인' 상황에 놓인 교사가 '상식적인' 소신을 꺾을 수밖에 없는 구조였던 것입니다.

'교원의 학생생활지도에 관한 고시'는 학생 생활지도에 있어 교사에게 어느 정도의 권한이 있으며 어떤 방식으로 지도할 수 있는지의 기준과 범위를 정하기 위한 목적으로 만들어졌습니다. 내용을 살펴보면 근래 발생한 비극적 사건들을 바탕으로 교사의 요구를 반영하여 비교적 구체적이고 세세하게 제시되어 있음을 알 수 있습니다.

몇 가지 예를 살펴볼까요?

> 제11조제4항 학교의 장과 교원이 주의를 주었음에도 학생이 이를 무시하여 인적·물적 피해가 발생한 경우, 사전에 주의를 준 학교의 장과 교원은 생활지도에 대한 책무를 다한 것으로 본다.

교사가 주의를 주었음에도 발생한 사고에 학교장과 교원은 책임이 없다는 것을 분명하게 밝히고 있습니다. 학교안전공제회 제도가 있어도 교사가 사고의 책임으로 적지 않은 금액을 개인 배상해야 하는 상황을 방지하기 위한 조항입니다.

제12조제4항 학교의 장과 교원은 자신 또는 타인의 생명·신체에 위해를 끼치거나 재산에 중대한 손해를 끼칠 우려가 있는 긴급한 경우 학생의 행위를 물리적으로 제지할 수 있다.

학생의 싸움을 말리기 위해 팔을 잡았다가 아동 학대로 고소당한 사건은 교사의 사기를 바닥으로 끌어 내렸습니다. 이 조항은 긴급한 경우 학생의 행위를 물리적으로 제지할 수 있다고 밝히고 있습니다.

제12조제7항 분리를 거부하거나 1일 2회 이상 분리를 실시하였음에도 학생이 지속적으로 교육활동을 방해하여 다른 학생들의 학습권 보호가 필요하다고 판단하는 경우, 보호자에게 학생인계를 요청하여 가정학습을 하게 할 수 있다.

반복된 주의에도 잘못된 행동이 수정되지 않고, 수업을 지속적으로 방해하는 학생이 있다면 학부모에게 연락해서 집으로 보낼 수 있게 되었습니다.

제12조제11항 학급담당교원은 학생 및 학부모의 의견을 들어 학급의 생활지도에 관한 세부 사항을 법령과 학칙의 범위에서 학급생활규정으로 정하여 시행할 수 있다.

학년 초에 학급별로 학급규칙을 정하지만, 지금까지 학급규칙은 실효성 없는 비공식 문서에 불과했습니다. 하지만 법령과 학칙의 범위에 있는 학급규칙은 교육부 고시로 인정받는 당당한 지위를 획득하게 되었습니다.

제13조제3항 학교의 장과 교원은 학생을 훈계할 때는 훈계 사유와 관련된 다음 각 호의 과제를 함께 부여할 수 있다.

1. 문제행동을 시정하기 위한 대안 행동
2. 성찰하는 글쓰기
3. 훼손된 시설·물품에 대한 원상복구 (청소를 포함한다)

문제를 일으킨 학생을 지도하기 위해 청소를 시켰다고, 글쓰기를 시켰다고 정서 학대로 교사를 신고한 사건이 있었습니다. 이 조항에 따르면 이제 교사는 해당 학생에게 성찰 글쓰기, 청소 및 대안 행동을 요구할 수 있습니다. 단, 지도의 목적이 아닌 처벌을 목적으로 할 수는 없습니다.

제17조제2항 학교의 장은 제1항에 따른 이의제기에 대해 14일 이내에 답변해야 한다. 다만 동일한 내용으로 정당한 사유 없이 반복적으로 이의를 제기하는 경우 2회 이상 답변하고 그 이후에는 답변을 거부할 수 있다.

교육과 관련되지 않은 요구, 동일한 내용을 분이 풀릴 때까지 반복적으로 하는 항의성 민원, 적절하게 답변하였음에도 그치지 않는 민원이 있다면 이제 반응하지 않아도 됩니다.

❝

위험을 무릅써야 했던
생활지도가 이제라도
공식적으로 보장받게
되었다는 점이
그나마 위안이 됩니다.

이 정도 규정이면 잠들기 전에 '내일 아동학대로 신고당하는 거 아닐까'하는 불안으로 하루를 마무리하지 않아도 되는 것일까요? 너무나 당연한 내용을 문서로 정해놓고 한숨을 돌리는 상황에 허탈함이 밀려올 수도 있습니다. 하지만 가르치기 위해 애쓰고도 머리를 숙여야 하는, 잘 가르치려 노력할수록 더 많은 위험에 노출되는 현실에서는 이런 방법이라도 환영할 일입니다. 위험을 무릅써야 했던 생활지도가 이제라도 공식적으로 보장받게 되었다는 점이 그나마 위안이 됩니다.

학교생활인권규정

교사와 학생을 지키는
안전망이 되어야 합니다

우리 학교의 '학교생활인권규정'은

어떻게 될까요?

학교생활인권규정이 교권 회복이라는

목적과 취지에 맞게,

또 한편 교사와 학생을 지키는

안전망으로 작동하기 위해

몇 가지 주목해야 할 점이 있습니다.

우리 학교의 '학교생활인권규정'은 어떻게 될까요?

'교원의 학생생활지도에 관한 고시'는 각 학교 상황에 맞게 '학교생활인권규정'으로 수정 및 적용하게 되어 있습니다. 구체적인 내용과 방법은 학교 구성원의 합의로 정하게 되어 있는데, 여기에는 의견이 분분할 수밖에 없습니다. 이참에 발생하게 될 모든 상황을 따져서 세세한 규정을 만들자는 목소리도 있지만 지나친 엄격함으로 학생을 통제하는 것이 오히려 교육활동을 위축시킨다는 우려의 목소리도 있습니다. 또 상위법과 대치될 수 있는 조항을 고시로 두는 것이 적절한지와 같은 더욱 근본적인 의문을 제기하는 이도 있습니다.

현재 학교에는 변화에 대한 기대감과 불확실한 앞날의 걱정, 어차피 크게 변할 것은 없을 테니 최대한 웅크리고 살자는 무기력이 공존하고 있습니다. 우리가 서 있는 지점이 이전과 비교하여 어느 정도의 진전인지 정확하게 가늠하기 어렵지만, 우리는 여기까지 오는 과정에서 몇몇 소중한 동료를 영영 잃었고, 많은 동료를 학교 현장에서 떠나보내는 아픔을 겪었습니다. 더 이상 아픔을 겪지 않기 위해서 우리는, 두 다리에 힘을 싣고 일어나 찬찬히 살펴보아야 합니다.

학교생활인권규정이 교권 회복이라는 목적과 취지에 맞게, 또 한편 교사와 학생을 지키는 안전망으로 작동하기 위해 몇 가지 주목해야 할 점이 있습니다.

첫째, 학교장의 권한과 책임이 명확해야 합니다.

최근 공분을 일으키고 있는 신규 교사의 사망 소식 이면에는 교사가 갈등과 책임을 홀로 받아내도록 둔 학교장이 있습니다. 권한이 제한적인 교사가 무한한 책임을 져야 한다면 관리자라 불리는 학교장의 역할에 의문을 제기하지 않을 수 없습니다. 공적 업무를 수행하며 발생하는 사안에는 기관장의 역할이 필수입니다. 승진을 위한 근무 평정을 빌미로 관련된 역할을 교감에게 전가해서도 안 됩니다. 학교장은 교장실에서 나와 규정의 실행과 그로부터 빚어지는 갈등의 최전선, 그야말로 '진짜 현장'에 설 수 있어야 합니다. 기꺼이 그 역할을 감당할 책임 있는 사람이 학교장의 자리에 있을 때, 학교는 '진짜 공동체'가 될 수 있습니다.

> **""**
> 이 모든 불행한 사건의
> 근본적인 원인은
> 그대로 존재합니다.
> 아동학대처벌법이 위압적으로
> 버티고 있는 한 말이죠.

둘째, 문제를 일으킨 학생으로부터 교사와 다른 학생을 분리하는 일에 교육청의 실제적인 지원이 필요합니다.

규정에 비추어 문제 상황이 분명하고, 문제를 일으킨 학생을 교사와 다른 학생으로부터 분리할 수 있다고 해도 교육청의 실제적인 지원이 없다면 허울 좋은 구호일 뿐입니다. 어디에 분리할 것인가? 누가 지도할 것인가? 관련하여 학부모 연락 또는 상담은 누가 책임질 것인가? 문제의 해결은 문서나 문장으로 하는 것이 아니라 실제 지원으로 하는 것입니다. 관련 인력과 예산도 필요합니다. 고시를 학교에 내리는 것으로 할 일을 다 했다고 뒤로 물러서는 일이 없기를 진심으로 바랍니다.

셋째, 문서와 실제의 간극을 보완하는 추가 고시가 필요합니다.

서이초 사건 이후로 연일 쏟아지는 교권 회복 방안은 급박한 상황에서 짧은 시간에 법 개정부터 고시의 시행까지 서두르다 보니 놓친 부분이 적지 않습니다. 예를 들어 「교원의 학생생활지도에 관한 고시」 제12조제4항의 문제 상황에서 학생을 물리적으로 제지할 때, 교사의 정당방위나 정당행위는 무엇일까요? 제12조제7항의 가정학습과 관련하여 학습의 책임은 누구에게 있을까요? 제13조제3항의 훈계 방법은 3가지만 제시하고 있는데 그 외 다른 방법은 없을까요? 모호하게 적힌 고시를 교사와 학부모가 다르게 해석하여 발생하는 견해 차이는 어떻게 조정할 수 있을까요? 실효적인 방안을 제시할 수 있도록 추가 고시로 계속 보완되어야 합니다.

아동학대처벌법은 거기 그대로

위에서 짚은 제안들이 반영된 완벽한 고시가 있다면 교사들은 마음 편히 수업과 생활지도에 집중할 수 있을까요? 부분적으로 교권이 보장되고, 무분별한 민원은 줄어들겠지만 이 모든 불행한 사건의 근본적인 원인은 그대로 존재합니다. 아동학대처벌법이 위압적으로 버티고 있는 한 말입니다. 교사를 극도의 불안과 스트레스로 내모는 악성 민원과 신고는 아동학대처벌법에 근거하고 있습니다. 교사들 사이에 '아동기분상해죄'라고 자조하는 아동학대처벌법이 개정되지 않으면 교사는 계속 보호받지 못하는 존재가 될 수밖에 없습니다.

교권보호 4법이 통과되고
'교원의 학생생활지도에 관한 고시'가
시행되었지만,
아동복지법과 아동학대처벌법이
개정되지 않는 한 교사를 향한
무분별한 신고를 막을 수는 없습니다.

아동복지법·아동학대처벌법

왜 개정되어야
할까요?

어쩌다 이렇게

전주의 한 초등학교 K교사는 옐로카드와 레드카드를 든 호랑이 캐릭터를 생활지도에 사용했다가 아동학대로 신고를 당했습니다. 학생의 이름을 레드카드 옆에 붙인 것이 아동의 정서 학대에 해당한다는 것입니다. P교사도 10년 전 저학년인 아이들의 싸움을 말리다 이를 훈계하는 과정에서 아동학대를 했다는 혐의로 학부모에게 신고를 당했습니다. 이뿐만이 아닙니다. 싸움을 그치게 하기 위해 책상을 넘어뜨려서, 아이들이 돌아간 후 몇 분간 청소를 시켜서, 흥분한 학생을 진정시키기 위해 큰 소리를 내어서, 혹은 팔을 세게 잡아서... 무엇을 해도, 하지 않아도 걸면 걸리는 것이 아동학대라 지난 몇 년간 학교는 온갖 불길한 소식들로 포화 상태에 이르렀습니다. 교사는 퇴근길에 습관처럼 하루를 돌아보며 행여 신고가 들어오지 않을까 불안에 떨었습니다. 어쩌다 이렇게 되었을까요?

이제 시작일 뿐

지난 9월 21일 교권보호 4법이 국회를 통과하였습니다. 공교육 정상화에 한 발짝 다가선 의미 있는 변화인 것은 분명하지만, 교사들은 아직 갈길이 멀다고 말합니다. 아동복지법과 아동학대처벌법이 개정되지 않고선 교사를 향한 무분별한 신고를 막을 수 없다는 입장입니다. 특히, 아동의 정신건강 및 발달에 해를 끼치는 정서적 학대행위 금지 조항(「아동복지법」 제17조제5호)을 가리켜 교사들은 '학부모, 학생 기분상해죄'라 부릅니다. 법이 모호하고 포괄적이어서 교사들을 아동 학대범으로 무고하는 수단으로 악용할 소지가 크기 때문입니다. 교권보호 4법이 통과되고 '교원의 학생생활지도에 관한 고시'가 시행되었지만, 아동복지법과 아동학대처벌법이 개정되지 않는 한 교사의 적극적인 교육활동을 기대하기는 어려운 것이 현실입니다.

아동학대처벌법 제정 과정과 한계

아동학대처벌법은 2012년 소금밥 사망사건, 2013년 경북 칠곡의 '소원이 사건'처럼 부모가 자녀를 학대하여 사망에 이르게 한 사건이 사회적 관심을 받으면서 만들어졌습니다. 2014년 1월 제정되어 같은 해 9월 29일부터 시행된 아동학대처벌법의 정식명칭은 '아동학대범죄의 처벌 등에 관한 특례법'입니다. 제 힘으로 자신을 보호할 수 없는 아동을 대상으로 국가가 적극적으로 개입하여 피해 아동을 보호하고, 가해자를 처벌하도록 제정되었습니다. 아동이 학대받는 환경은 폐쇄적이거나 밖으로 드러나기 쉽지 않기에 의심만으로도 신고가 가능합니다. 신고 의무자 뿐 아니라 누구나 사법경찰기관 또는 아동학대전담공무원에게 신고할 수 있습니다. 특례법이다 보니 신고가 접수되면 지체 없이 현장에 출동하여 피학대아동에 대한 보호조치를 진행하고 학대행위자와 피학대아동을 조사하고 수사해야 합니다. 그러나 철저한 사전 준비 없이 당시 상황과 여론에 밀려 성급하게 입법되면서 여러 가지 문제점이 드러났습니다. 긍정적 평가에도 불구하고 여러 차례 개정될 수밖에 없는 태생적 한계를 지닌 것입니다.

신고 의무자에서 학대행위자로

해당 법이 시행된 초기에 교사는 가정 내에 아동학대 정황을 빠르게 발견하고 이를 알리는 신고자의 역할을 주로 담당했습니다. 신현영 의원의 보도자료(2022.10.19.)에 의하면 아동학대 전체 비율 중, 신고 의무자가 신고를 하는 비율은 2017~2020년까지 30% 아래를 밑돌았습니다. 그중에서 교사의 신고가 매년 절반 이상을 차지했습니다. 다른 직종이 신분 노출을 꺼리고 행여나 보호자로부터 보복을 당하지 않을까하는 두려움으로 신고를 주저할 때도 학대로부터 아동을 보호하기 위해 적극적으로 나선 건 교사뿐이었습니다. 그러나 시간이 지나면서 오히려 아동복지법과 아동학대처벌법은 교사를 궁지로 몰아넣는 수단으로 악용되었습니다. 아동학대 신고자가 아니라 아동학대 가해자로 교사를 신고하는 사례가 급격히 늘어난 것입니다. 학부모들 사이에서는 아동학대 신고가 유행처럼 번져 나갔습니다.

교사 아동학대 행위자 등록 건수

2017년부터 2021년까지 5년간 8천413명의 유·초·중·고등학교 교사가 아동학대를 저지른 행위자로 등록되었습니다. 상당한 수의 교사가 아동학대로 신고된 것입니다. 그러나 이 중 실제로 수사가 개시된 건수는 1천252건이고, 수사 개시 이후 경찰이 자체 종결하거나 기소로 가지 않은 사건이 676건입니다. 그리고 그 중 연평균 24건만 실제 기소가 되었습니다. 결과적으로 기소율이 2%가 채 되지 않는다는 사실이 참으로 당연하면서도 놀랍습니다. '일단 신고나 하고 보자'는 식의 무분

> ❝
> 조속한 법 개정을 통하여
> 정당한 교육활동이
> 아동학대로 악용되지 않도록
> 국회가 응답할 시간입니다.

별한 신고로 교사는 짧게는 몇 달, 길게는 몇 년 동안 각종 조사를 받으며 수없이 많은 입증 자료를 제출해야 합니다. 무죄로 수사가 종결되어도 이미 한 인간의 삶이 피폐해질 대로 피폐해진 상태임은 말할 것도 없습니다. 의심만으로도 신고가 가능하기에 신고자에 대한 무고죄 적용도 쉽지 않습니다.

초중고 교직원 아동학대 행위자 등록교사 추이
_출처: 보건복지부, 단위: 건

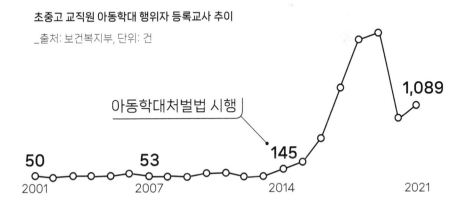

아동학대처벌법 시행

50
2001

53
2007

145

2014

1,089

2021

교사의 정당한 학생생활지도 위축 여전

무분별한 아동학대 신고로부터 교원의 정당한 생활지도를 보호하기 위해 '교육감 의견서 제출' 제도가 9월 25일부터 시행되었습니다. 교사의 생활지도를 아동학대로 신고된 사안이 발생하면 교육지원청 전담공무원은 생활지도 정당성을 판단하여 '교육활동 확인서'를 작성하고 이를 시·도 교육청에 보고합니다. 시·도 교육감은 최종적으로 의견서를 작성해 지자체와 수사기관에 제출합니다. 이 과정에서 교사가 충분히 소명할 수 있는 기회가 주어지지 못할 가능성이 높습니다.

교육감 의견서는 정당한 교육활동을 판단하는 기준으로 조사와 수사에 영향을 미칠 것으로 보입니다. 개정된 경찰청 수사 지침과 복지부의 아동학대 대응 매뉴얼에 따라 지자체와 수사기관은 교육감의 의견서를 의무적으로 참고해야 합니다. 검찰 역시 법무부 지시에 따라 교육감 의견서를 수사 과정에 참고해야 합니다. 하지만 의견서가 조사와 수사 과정에 어떤 영향을 미칠 것인지 아무도 장담할 수 없습니다. 더욱이 아동학대처벌법에 따라 혐의 유무와 관련 없이 경찰은 사건을 검찰에 송치해야 하기에 소송으로부터 교권을 보호하지 못한다는 사실에는 변함이 없습니다.

아동복지법과 아동학대처벌법은 개정되어야 한다

가정 내에서 벌어지는 아동학대를 멈추기 위한 아동학대처벌법이 외려 학교에 적용되면서 생겨난 문제가 참으로 심각합니다. 은폐·엄폐가 쉬운 가정과는 달리 교실과 복도, 특별실과 운동장은 개방적이고 공적인 공간으로 아동학대가 일어나기 어렵습니다. 아동학대를 방지할 수 있는 신고 의무가 오히려 교사의 교육권을 옥죄고 있는 지금, 아동학대방지법의 개정은 시급히 처리해야 할 사안입니다. 조속한 법 개정을 통하여 정당한 교육활동이 아동학대로 악용되지 않도록 국회가 응답할 시간입니다.

교원의 교육활동에 대한 아동학대 신고 발생시 이렇게 조치됩니다!

주체	조사 지자체 (아동학대 전담공무원)	수사 검찰·경찰	의견제출 교육지원청 (교육활동 전담공무원)
신고 접수	• 신고사항 확인 • 아동학대 관련 상담	상호 통보 • 신고사항 확인	즉시 공유 • 공유받은 신고내용 확인 • 조사·수사일정 확인

출동 및 조사

지자체:
• 경찰과 협조
• 관련자 등 추가조사, 면담
• 진술 녹화 지원

검찰·경찰:
• 아동학대 전담공무원과 협조
• 현장조사 체크리스트 작성
• 증거수집

교육지원청:
사안 조사 및 확인
[교육활동 조사 수사지원팀]
▶ 교육청에 의견 상신
• 조사·수사 당국과 협조
• 정당한 교육활동 여부 판단
• 사안에 대한 의견 작성
▶ 교육청에 상신

조치

지자체:
• 사례판단
시도교육감 의견서 참고
※복지부, 아동학대 대응 메뉴얼
• 피해아동 사례관리

검찰·경찰:
• 종결(현장종결, 입건전 조사종결) 또는 수사 계속
시도교육감 의견서 참고
※검찰청 수사지침

• 혐의 여부와 무관하게 검찰 송치
※ 아동학대처벌법 제24조
• 검찰 수사·조사
시도교육감 의견서 참고
※법무부, 검찰 지시

의견 상신

교육청:
지자체 조사, 경찰 수사 시작 여부와 상관없이 신고사항을 공유 받은 후, **7일 이내** 의견 제출

의견 제출

• 추가 수사·조사 시 다시 의견제출

_출처: 교육부보도자료(2023.9.21)

4. 아동복지법
아동학대처벌법_
왜 개정되어야 할까요?

아동복지법·아동학대처벌법

정당한
학생생활지도 행위에
면책을 요구합니다

무분별한 아동학대 신고로부터

교권과 학습권을 보호하기 위해

교원의 정당한 학생생활지도 행위에 한하여

아동복지법·아동학대처벌법의 면책을

요구해야 합니다.

아동복지법·아동학대처벌법 개정과 갈등

'교원의 정당한 생활지도는 아동학대로 보지 않는다'는 아동복지법·아동학대처벌법 개정안을 두고 셈법이 제각각입니다. 교사와 교사 단체, 국회는 법 개정을 해야 한다는 입장이지만, 아동 단체와 관련 학계, 정부(보건복지부)는 법 개정에 난색을 보입니다.

교사들은 교권보호 4법으로는 문제가 해결되지 않는다며, 악성 민원을 막으려면 아동복지법·아동학대처벌법 개정이 반드시 이루어져야 한다는 입장입니다. 아동복지법·아동학대처벌법 개정이 필요하다는 교사들의 일관된 요구에 처음에는 미온적이었던 국회도 잇단 교사 사망으로 사회적 공분이 커지자 여야 모두 아동복지법 개정에 힘을 싣는 분위기로 바뀌었습니다.

그러나 아동 인권 관련 단체와 학계, 정부 부처는 아동 인권의 후퇴를 우려하며 개정안에 반대하고 있습니다. '교원의 정당한 생활지도는 아동학대로 보지 않는다'는 것은 사실상 아동학대 규정에 교사 면책권을 부여하는 것으로 과도한 조치라 주장합니다. 법 개정은 자칫 학교 밖 아동학대 판단까지 영향을 미칠 수 있다는 점을 우려합니다. 전 국민적 지지를 받으며 통과된 교권보호 4법과 달리 아동복지법 개정안은 각계각층의 의견이 엇갈리고 대립하는 모양새를 보입니다.

아동복지법·아동학대처벌법에 의해 보호자가 된 교사

아동복지법은 아동이 건강하게 출생하여 행복하고 안전하게 자랄 수 있도록 아동의 복지를 보장하는 법입니다. 아동학대처벌법은 아동학대범죄 예방 및 처벌에 관한 내용으로 아동 보호가 목적입니다. 보통 아동학대와 아동학대범죄를 같은 말로 생각하여 사용하지만 그렇지 않습니다. 아동학대와 아동학대범죄를 비교하면 다음 표와 같습니다.

< 아동학대와 아동학대범죄 비교 >

	아동학대	아동학대범죄
근거법률	「아동복지법」 제3조제7호	「아동학대처벌법」 제2조제4호
아동학대	① 보호자를 포함한 성인이 아동의 건강 또는 복지를 해치거나 정상적 발달을 저해할 수 있는 신체적·정신적 폭력이나 가혹행위를 하는 것 ② 보호자가 아동을 유기하거나 방임하는 것	보호자에 의한 아동학대로서 아동학대처벌법 제2조제4호에 열거된 각목의 어느 하나에 해당하는 죄 (폭행, 상해, 유기, 협박 등)
가해자의 범위	보호자를 포함한 성인	보호자
	※ 보호자. 친권인, 후견인, 아동을 보호·양육·교육하거나 그러한 의무가 있는 자 또는 업무고용 등의 관계로 사실상 아동을 보호·감독하는 자(교원 포함)	
조사주체	지자체 아동학대 전담공무원	사법경찰관 또는 검사
조사·수사 후 행위자에 대한 조치	① 피해아동 가족에게 상담·교육 실시 (「아동복지법」 제29조의2)-정당한 사유없이 미참여 시 과태료 부과 ② 친권 제한 또는 상실(「아동복지법」 제18조)	형사처벌 등
포함관계	← 아동학대 → 아동학대범죄	

_출처: 교육부(2023). 교원 대상 아동학대 신고 대응 교육감 의견서 제출 가이드라인

근거 법률, 가해자의 범위, 학대유형, 조사 주체와 행위자에 대한 조치에 따라 아동학대와 아동학대범죄는 구별되지만 둘 다 가해자의 범위에 보호자를 포함합니다.

> '보호자'란 친권자, 후견인, 아동을 보호·양육·교육하거나 그러한 의무가 있는 자 또는 업무·고용 등의 관계로 사실상 아동을 보호·감독하는 자를 말한다.
> (「아동복지법」제3조제3호)

흔히 혈연 또는 입양으로 맺은 친족 관계만을 보호자로 생각하는데 아동복지법은 아동을 보호하고 감독하는 자를 보호자로 규정합니다. 만 18세 미만 아동을 보호·감독하는 유·초·중등학교 교사는 아동복지법에서 규정한 보호자입니다. 교사가 아동학대와 아동학대범죄가 규정한 가해자 범주에 속함을 의미하죠. 따라서 교사는 「아동복지법」 제3조제7호의 신체·정서·성적 폭력·방임과 같은 「아동학대행위와 아동학대처벌법」 제2조제4호의 형법상 범죄(상해, 폭행, 유기, 체포감금 등), 아동복지법상 범죄(아동매매, 아동에게 음란

행위 시키거나 매개하는 행위, 아동의 신체 손상 등), 다른 법률에 따라 가중처벌되는 죄(아동 청소년의 성보호에 관련 법률 등), 아동학대처벌법에 규정된 범죄(아동학대살해, 아동학대치사 등)에 의거 처벌을 받을 수 있습니다. 만약 교사를 궁지에 몰아넣으려는 자가 정서적 학대와 같은 불명확한 사유를 들어 신고할 경우, 아동학대 진위를 판단 받는 과정에서 교육활동전담공무원(교육지원청), 아동학대전담공무원(지자체), 경찰관과 검사로부터 조사와 수사를 받으며 교사는 곤혹을 치르게 됩니다.

교원의 정당한 학생생활지도는 제외

이러한 악의적 행위를 막고자 여야는 아동복지법 일부개정법률안을 상정했습니다. 고영인 의원(더불어민주당)이 대표 발의한 개정안을 예로 들면, 아동학대를 정의한 조항(제3조제7호)과 아동에 대한 금지행위 조항(제17조)에 '교원의 정당한 학생생활지도는 제외한다'는 단서가 주요 내용입니다.

5. 아동복지법 아동학대처벌법_ 정당한 학생생활지도 행위에 면책을 요구합니다

> 이러한 해악이
> 얼마나 심각한 문제를
> 야기하는지
> 국민들이 공감하기까지
> 교사들은 오랜 시간
> 수모를 참고 견뎠습니다.

제1항에 따른 교원의 정당한 유아생활지도에 대해서는 「아동복지법」 제17조제3호, 제5호 및 제6호의 금지행위 위반으로 보지 아니한다.

(「유아교육법」 제21조의3제2항)

교원의 정당한 학생생활지도 행위에 한하여 면책사유가 될 수 있다는 것이 개정안의 핵심입니다. 무분별한 아동학대 신고로부터 교권과 학습권을 보호하고자 '정당한 학생 지도에 대해서는 제외한다'는 단서 조항을 넣은 것이죠. 아동복지법이 규정한 보호자의 범주로부터 교사를 제외하는 건 법 제정 취지에 부합하지 않을 수 있으나 정당한 학생생활지도 행위에 한하여 면책권을 요구하는 것은 합당합니다. 이번 교권보호 4법 통과로 신설된 「유아교육법」 제21조의3제2항 및 「초·중등교육법」 제20조의2제2항으로 정당한 학생생활지도의 법적 근거가 마련되었기 때문입니다.

제1항에 따른 교원의 정당한 학생생활지도에 대해서는 「아동복지법」 제17조제3호, 제5호 및 제6호의 금지행위 위반으로 보지 아니한다.

(「초·중등교육법」 제20조의2제2항)

정당한 학생생활지도 행위에 한한 면책사유는 교사와 학생을 위한 당당한 요구

의심 신고만으로 교사의 직위가 해제되고 담임이 교체되며 교실이 붕괴하는 사건을 겪으면서 아동복지법을 개인의 사적인 감정을 분출하는 도구로 얼마든지 악용할 수 있음을 우리는 목격했습니다. 이러한 해악이 얼마나 심각한 문제를 야기하는지 국민들이 공감하기까지 교사들은 오랜 시간 수모를 참고 견뎠습니다. 이제는 교권과 학습권을 보호하고 교사의 평등권과 아동의 복지권을 보장하고자 「초·중등교육법」 제20조의2 및 「초·중등교육법 시행령」 제40조의3에 의거하여 교원의 정당한 학생생활지도 행위에 한하여 면책권 부여를 당당히 요구해야 합니다.

「유아교육법」 제21조의3제2항 및 「초·중등교육법」 제20조의2제2항은 모두 '교원의 정당한 학생생활지도에 대해서는 「아동복지법」 제17조제3호, 제5호 및 제6호의 금지행위 위반으로 보지 아니한다'고 규정했습니다. 금지행위 중 제3호는 신체적 학대 행위를, 제5호는 정서적 학대 행위를, 제6호는 방임행위와 관련된 조항으로 교원의 정당한 학생생활지도 행위에 한하여 면책사유가 될 수 있음을 밝히고 있습니다.

교육부는 아동학대범죄 신고로부터
교사를 보호하기 위한 교육감 의견서 제출 제도를
도입했습니다. 교육감 의견서 제출 제도는
교육활동에 깊이 있는 이해로 교사를 보호할
신뢰로운 장치로 작동해야 합니다.

아동복지법·아동학대처벌법

교육감 의견서 제출이란
무엇일까요?

끝없는 사례들

지난 10월 14일 여의도에서 있었던 제10차 교사 집회는 전북의 한 초등교사 자유발언으로 시작되었습니다. 교사는 스포츠 시간에 서로 어깨를 주물러주는 활동 중 옆에 앉은 아이의 어깨를 주물러주었다가 아동학대로 고소당했습니다. 당연한 진실이니 쉽게 밝혀질 것이라는 교사의 기대와 달리 5개월간 경찰, 인권센터, 교육청 위원회, 아동학대 전담팀 네 기관에서 조사받으며 고통스러운 시간을 보냈습니다. 조사 결과 전북교육청과 인권센터에서

는 아동학대 없음으로 밝혀졌으며 이를 시청 주무관에게 전달하여 조사에 참고하도록 하였으나 시청의 아동학대 소위원회는 5명 중 3명, 과반수 의견으로 '혐의 있음'으로 결론지었습니다. 참여한 소위원회 위원들의 전문성을 확인하기 위한 정보 공개 요청은 거절당했습니다. 아동학대범죄로 고소당한 교사의 상당수가 다른 기관의 무혐의 판단에도 불구하고 지자체 아동학대 전담팀의 '혐의 있음' 결정을 경험했다고 합니다. 과연 그들은 교사의 교육활동을 충분히 이해하고 있었을까요? 무분별한 아동학대 고소로부터 교사를 보호할 신뢰성 있는 조사와 판단은 어떻게 이루어질 수 있을까요?

교육감 의견서 제출 시행

2023년 9월 25일 개정된 교원지위법에 따른 조치로 교육부는 아동학대범죄 신고로부터 교사를 보호하기 위한 교육감 의견서 제출 제도를 도입했습니다. 경찰, 검찰, 지자체 등 외부 기관으로 이어지는 아동학대범죄 수사에 신뢰할 만한 교육 현장 전문가의 판단을 교육감 의견으로 제출하여 교사의 정당한 교육 활동을 보호하려는 장치입니다.

제17조(아동학대 사안에 대한 교육감의 의견 제출) ① 교육감은 「유아교육법」 제21조의3제1항에 따른 교원의 정당한 유아생활지도 및 「초·중등교육법」 제20조의2제1항에 따른 교원의 정당한 학생생활지도 행위가 「아동학대범죄의 처벌 등에 관한 특례법」 제2조제4호에 따른 아동학대범죄로 신고되어 소속 교원에 대한 조사 또는 수사가 진행되는 경우에는 해당 시·도, 시·군·구(자치구를 말한다) 또는 수사기관에 해당 사안에 대한 의견을 신속히 제출하여야 한다. (「교원지위법」 제17조)

교육감 의견 작성 및 반영 시점

실제 아동학대 관련 신고가 들어왔을 때 지자체와 지역교육청, 경찰·검찰에서의 사건 조사와 관련된 흐름은 다음과 같습니다.

지자체

112 또는 지자체를 통해 아동학대 신고가 들어오면 지자체 아동학대전담공무원은 사안을 살펴, 아동학대의심사례 또는 일반상담으로 분류합니다. 아동학대의심사례로 판단한 경우에 전담공무원은 교육지원청과 학교에 사안발생 건(신고자 정보, 피해아동 정보 제외)을 유선과 공문으로 공유하고 현장 조사를 실시합니다.

교육지원청

지자체로부터 신고사항을 공유받은 교육지원청의 전담공무원은 학교를 방문합니다(신고사항을 공유받은 후 3일 내). 필요시 보호자의 동의로 아동을 면담하거나 학교장(감), 동료 교원, 목격자 등의 진술을 토대로 사건을 파악합니다. 교육 현장 전문가 등이 참여한 자문회의를 통하여 정당한 교육활동 여부를 판단한 후, 교육활동 확인서를 작성하여 교육청으로 공문을 상신합니다(신고사항을 공유받은 후 5일 내). 만약 정당한 생활지도로 판단하지 않을 경우에는 근거를 명시하여 '의견 없음'으로 공문을 상신합니다.

시도교육청

교육활동 확인서를 토대로 시도교육청 전담공무원은 '교육감 의견 심의 협의체(전남교육청 사례)'를 열어 정당한 생활지도 여부를 판단합니다. 이같은 과정으로 작성된 교육감 의견서를 관할 지자체 및 경찰서로 제출합니다(신고사항을 공유받은 후 7일 내).

6. 아동복지법
아동학대처벌법_
교육감 의견서
제출이란 무엇일까요

교육청이 교육감 의견서를 작성하여 제출하는 동안, 지자체 아동학대전담공무원은 경찰과 협조하여 관련자를 대상으로 추가 조사 및 면담을 진행합니다. 학대 발생 여부와 위험 정도를 파악하고 정보를 수집하며 이를 바탕으로 사례판단 과정을 진행합니다. 사례판단은 아동학대사례와 일반사례로 나뉩니다. 아동학대사례는 학대의 정황이 뚜렷하고 아동학대로 판단할 만한 증거 또는 진술이 뒷받침되는 경우를 말합니다. 반면, 신고접수 시 아동학대의심사례로 판단하였으나 현장 조사 결과 아동학대가 발생하지 않은 경우는 일반사례로 분류됩니다. 사안이 아동학대사례인지 아닌지를 구분하는 과정에서 교육감 의견서는 사례판단에 영향을 미칠 것으로 예상됩니다. 만약 아동학대사례로 판단되는 경우 피해 아동 및 학대행위자에 대한 조치를 결정하고 사법절차를 밟게 되는데, 이에 따른 경찰과 검찰에 의한 조사·수사 과정에서도 교육감 의견서를 반영해야 합니다.

아동학대 관련 사건은 생각보다 여러 기관에 걸쳐 조사가 이루어집니다. 하지만 모두 업무 흐름도에 맞춰 주어진 역할을 해 낼 뿐입니다. 일단 사건이 학교 밖으로 나가는 순간부터 교사의 교육활동에 깊이 있는 이해를 기대하기 어려워집니다. 이것이 한 교사의 삶과 인격이 걸린 일이란 사실을 그들은 알지 못합니다. 교육감 의견서 제출 제도는 교육활동과 관련된 판단을 전적으로 외부인에게 맡겨온 지금까지의 조사 과정에 이의를 제기합니다. 부디, 교육감 의견서 제출 제도가 무분별한 아동학대 신고로부터 교사를 보호할 신뢰로운 장치로 잘 작동하길 바라는 마음입니다.

CHAPTER 02
REFLECTION
광장에서 학교로

아동복지법·아동학대처벌법

교육감 의견서 제출이
효력을 발휘하려면

교육감 의견서 제출 제도가 시행되었지만

현장에서 실제 효력을 발휘하기 위해서는

교육청과 지자체의 전문 인력 확보,

법률 지원 등 해결해야 할 문제가 있습니다.

동시에 교사와 학생을 보호하기 위한

시스템도 마련되어야 합니다.

교육감 의견서 제출을 둘러싼 문제들

교육청 전담 인력 확보

교육 현장 전문가의 판단이 반영된 교육감 의견서 제출 제도가 교사의 정당한 교육활동을 보호하는 장치임은 틀림없습니다. 그러나 법과 제도가 마련되었다고 저절로 일이 해결되지는 않습니다. 예산과 인력은 충분할까요? 지자체, 경찰·검찰청은 교육 현장의 특수성을 고려하여 아동학대 여부를 판단할 준비가 되어 있을까요? 교육감 의견서 제출만으로 교육청은 교권 보호를 위한 소임을 다했다고 말할 수 있을까요?

아동학대 신고에 대응하는 교육청과 교육지원청 전담공무원은 각각 한 명씩입니다. 예를 들어 경기도에 있는 25개의 교육지원청 교육활동전담공무원은 25명이고, 도교육청 전담공무원은 1명입니다. 전담이라 말하지만 교육청의 업무 구조상 아동학대 신고 업무처리만이 아닌 다른 업무도 병행할 가능성이 높습니다. 2021년 기준으로 경기도 내 아동학대 의심사례는 13,578건이었습니다. 이 중에서 교원을 대상으로 아동학대를 신고한 건수는 73건이며, 그중 43건(58.9%)은 무혐의 처분을 받았습니다. 재판에서 아동학대 혐의가 인정된 경우는 2%에 불과합니다. 이를 근거로 교육감 의견서 제출을 가정해 볼 때, 도교육청 전담공무원 한 명이 연평균 처리해야 하는 건수는 73건인 셈입니다. 복지부가 권고한 아동학대전담공무원의 연평균 신고 처리가 1인당 50건이라는 점에서 보면 도교육청 전담공무원의 업무는 과중합니다. 교육감 의견서가 교권을 보호하는 안전망이 되기 위해서는 인력 충원과 예산 마련이 꼭 필요합니다.

지자체 전담 인력과 전문성 확보

아동학대 여부를 판단할 때 지자체 아동학대전담공무원의 역할은 큰 비중을 차지합니다. 하지만 인력 부족과 전문성 확보에 어려움을 겪고 있습니다. 2023년 6월 기준 전담공무원 878명 가운데 일반 임기제 공무원은 91명(10.4%), 전문경력관 3명(0.3%), 시간선택제·한시임기제 등 기타는 15명(1.7%)이었습니다. 나머지 769명(87.6%)은 일반 공무원입니다. 예산 관리나 다른 업무를 하던 공무원이 갑작스러운 발령으로 아동학대전담공무원 역할을 수행하는 경우가 적지 않습니다. 더구나 아동학대전담공무원은 학대 신고 접수와 현장 조사, 피해 아동 응급 보호 등 사건 발생부터 종결까지 개입하는 업무 특성상 고도의 전문성이 필요합니다. 하지만 전담공무원 역시 순환 보직으로 운영되기에 평균 근속 연수가 매우 짧습니다. 직무 연속성이나 전문성을 담보하기 어려운 실정입니다.

조사·수사 과정부터 법률 지원

교육감 의견서 제출 제도는 교사의 정당한 생활지도 보호가 목적입니다. 하지만 교육감 의견서의 '신속한 제출'만을 강조한 채 교원 보호 과정을 구체적으로 제시하지는 않았습니다. 사안 발생 시 교원, 학생, 학부모의 즉각적인 분리와 보호에 관한 사항, 법률 지원이 어떻게 이루어지는지 알 수 없습니다. 특히 변호사의 진술 조력과 같은 법률 지원은 무분별한 아동학대 신고에 대응하는 가장 효과적인 방법입니다. 실례로 지난 8월 이후 경기도에서는 도교육청 변호사의 법률 지원으로 경찰이 방문하기 전에 변호사와 교사들이 만나 쟁점을 정리하여 조사에 대응한 결과, 조사 종결 처분을 받았습니다. 즉각적인 법률 지원이 필요한 이유를 잘 알려주는 좋은 사례입니다.

교육감 의견서 제출이 효력을 발휘하려면

교원지위법 개정에 의한 교육감 의견서 제출은 교권 보호의 결승지점이 아니라 출발 지점입니다. 긴 레이스에서 쓰러지지 않기 위한 안전장치가 뒤따라야 합니다.

첫째, 아동복지법·아동학대처벌법을 개정해야 합니다. 법 개정에도 불구하고 학부모의 막무가내식 형사고소를 막을 방법은 없습니다. 아동복지법·아동학대처벌법 개정은 교사라는 특수한 직군에 법 적용을 배제하는 특권을 부여해달라는 요구가 아닙니다. 교육 현장에서 이루어지는 '정당한 학생생활지도에 한해' 면책 또는 제외 적용을 요구하는 것입니다. 또한 '정당한 학생생활지도' 판단 과정에서 현장 전문가의 의견을 적극 반영해야 합니다. 이것이 교육감 의견서 제출 제도의 실제적 효력입니다.

> 66
> 법의 허술한 면에 걸려
> 고통받는 교사가
> 더 이상 나타나지 않을 때가
> 끝입니다.

둘째, 변호사 선임에 의한 신속한 법률 지원을 해야 합니다. 교사가 아동학대범죄로 신고된 후 거치는 가장 고통스러운 순간은 각종 기관에서 피의자 신분으로 조사받을 때입니다. 법률 지원은 아동학대전담공무원 또는 경찰관으로부터 교사가 조사·수사를 받기 전에 이루어져야 도움이 됩니다. 교육활동전담공무원은 조사·수사기관으로부터 신고 사항을 공유받은 즉시 교육지원청 또는 교육청에서 선임한 변호사와 공조하여 교원이 법률 상담 및 지원을 받을 수 있도록 지원해야 합니다.

셋째, 교사와 학생을 보호하는 시스템을 마련해야 합니다. 교육감 의견서 제출의 목적은 교사의 정당한 교육활동 보호에 있습니다. 이는 해당 교사 개인만을 위한 장치가 아닙니다. 교직원과 학생, 학부모 등 교육공동체가 제 기능을 충분히 발휘하기 위해 요구되는 최소한의 안전망입니다. 사안 발생 시 응급조치, 즉각 분리와 같은 교권 보호 절차가 원활하게 이루어질 수 있도록 시스템을 마련해야 합니다. 아울러 무고성 신고로 판명될 경우에 법적 책임을 묻는 사후 조치로 재발 방지를 위해 노력해야 합니다.

교권보호 4법이 통과된 후 모인 교사 집회에서 한 전북 초등교사는 말합니다.

소름 끼치도록 동의합니다. 법의 허술한 면에 걸려 고통받는 교사가 더 이상 나타나지 않을 때가 끝입니다. 마지막 순간까지 우리는 법과 제도를 그리고 서로를 주의 깊게 살펴야 합니다.

"우리가 이 정도의 변화에 만족하고 관심을 거두면, 법의 허술한 면에 걸려 고통받는 교사가 다시 나타날 것입니다."

< 아동학대 대응체계 개편에 따른 업무 흐름도 >

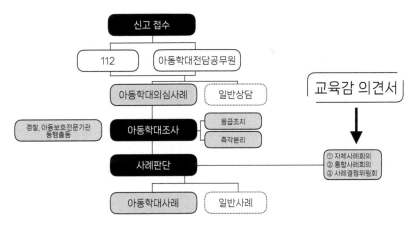

_출처: 서울특별시 아동복지센터 아동학대 업무흐름도 일부 수정

7.
아동복지법_
아동학대처벌법_
교육감 의견서 제출이
효력을 발휘하려면

아동복지법·
아동학대처벌법

정당한
교육활동은
보호 받아야
합니다

'정당한 교육활동'이란 무엇일까요?
광범위하고 모호한 용어는
입장에 따라 다른 해석을 만들고
이는 갈등상황으로 이어집니다.
정당한 교육활동이 보호받기 위해
안전한 경계가 필요합니다.

CHAPTER 02
REFLECTION
광장에서 학교로

무엇이 '정당'한가

아동학대 범죄를 비롯한 학급 안팎의 다양한 사건에서 교사의 책임 소재는 교육활동이 정당한지 여부에 따르며, 이는 오랜 쟁점 사안입니다. 학부모와 교사의 입장 차이에 더해 '정당함'의 관점이 첨예하게 대치될 때는 그 판단을 교육 외부 기관이 맡아 왔습니다. 교육활동에 이해가 낮은 기관의 조사와 수사 과정에서 교사가 많은 고통을 받을 수밖에 없는 구조였죠. 그러나 사회적 공감대 형성과 필요로 개정된 교권보호 4법에 따라 학생생활지도를 포함한 '정당한 교육활동'은 이제 법령과 학칙에 근거를 둡니다. 교육부는 교사의 정당한 교육활동을 보호하기 위한 조치로 교육 현장 전문가의 판단을 교육감 의견으로 제출하는 제도를 시행하고 있습니다. 초점은 '정당한 교육활동'에 맞춰집니다. '정당함'이라는 낱말의 의미는 참으로 광범위하고 모호합니다. 여기에서 우리가 세울 수 있는 안전한 경계는 어디까지일까요?

2024년 3월, 어느 교실 풍경

A교사는 올해 학급규칙 세우기에 심혈을 기울입니다. '정당한 교육활동'의 근거를 마련하기 위해서입니다. 교육부 고시(제2023-28호)에 따른 학교규칙을 바탕으로 학급에서 일어날 수 있는 다양한 상황을 예상해 촘촘하게 규칙을 만듭니다. 그렇게 만들어진 규칙은 내부 결재를 거친 후에 가정통신문으로 학부모 확인까지 받아 서류 보관함에 잘 넣어 둡니다. 이쯤 하면 A교사는 올해 악성 민원과 아동학대범죄 신고로부터 안전하게, 자유로운 교육활동을 할 수 있을까요?

형법 제20조에 의하면 정당행위를 다음과 같이 규정합니다.

> 법령에 의한 행위 또는 업무로 인한 행위, 기타 사회상규에 위배되지 아니하는 행위는 벌하지 아니한다.
> (「형법」제20조 정당행위)

'법령에 의한 행위'란 형의 집행 또는 범인에 대한 체포 행위 등입니다. '업무에 의한 행위'는 의사가 환자의 다리를 절단하거나 감염병 환자를 격리 조치하는 경우입니다. '기타 사회상규에 위배되지 않는 행위'로 판단 받으려면 그 행위의 동기나 목적의 정당성, 행위의 수단이나 방법의 상당성, 보호법익과 침해법익의 균형성, 문제 상황의 긴급성, 그 행위 이외의 다른 수단이나 방법이 없다는 보충성의 요건을 갖추어야 합니다.

교사의 교육활동은 「초·중등교육법」제20조제2항, 「유아교육법」제21조제3항 등에 근거하므로 정당행위의 첫 번째 요건인 '법령에 의한 행위'를 충족합니다. 또한 학생생활지도는 '교원의 학생생활지도에 관한 고시'에 따라 교사의 업무에 속하므로 두 번째 요건 역시 충족합니다. 그러나 '기타 사회상규에 위배되지 않는 행위'는 법리적 해석의 범위가 상당히 넓습니다. 동기나 목적, 수단이나 방법 등은 학부모와 학생, 교사 또는 조사 기관의 입장과 견해에 따라 서로 다른 해석이 가능하기에 다툼의 여지가 남게 됩니다. 악의적인 의도와 낮은 교육활동 이해는 여전히 교사를 낯설고 고달픈 자리에 세울 수 있습니다.

정당한 교육활동_

학급규칙을 만드는 일부터

사건의 발생 가능성을 제로로 만드는 것은 불가능하지만, 최대한 낮추는 것은 가능합니다. 실제로 교사를 난관에 빠트리는 상황은 학급 안에서 일어납니다. 지금까지 학급규칙 만들기가 교육적 창의성을 발휘하는 활동이었다면 이제는 교사의 안전을 위해 꼭 필요한 활동이 되었습니다.

지난 9월 1일 시행된 '교원의 학생생활지도에 관한 고시'에 따라 학급규칙이 당당하게 공식 문서로서 지위를 인정받았기 때문이죠. 그러므로 정당한 교육활동의 기초는 학년 초에 학급규칙을 만드는 일부터 시작됩니다.

학급규칙의 법적 체계는 아래와 같습니다.

< 학급 규칙의 법적 체계 >

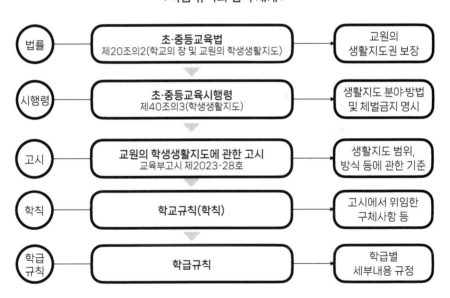

법률	**초·중등교육법** 제20조의2(학교의 장 및 교원의 학생생활지도)	교원의 생활지도권 보장
시행령	**초·중등교육시행령** 제40조의3(학생생활지도)	생활지도 분야·방법 및 체벌금지 명시
고시	**교원의 학생생활지도에 관한 고시** 교육부고시 제2023-28호	생활지도 범위, 방식 등에 관한 기준
학칙	**학교규칙(학칙)**	고시에서 위임한 구체사항 등
학급 규칙	**학급규칙**	학급별 세부내용 규정

상위법에 따라서_

대부분 법과 규칙은 아래쪽으로 내려갈수록 촘촘합니다. 범위와 대상에 따라 구체적 맥락이 생기기 때문이죠. 이때 상위법에서 정한 바에 위배되는 사항이 하위법령에 규정되어 있을 경우, 이는 효력이 없고 그에 근거한 행위는 위법행위가 됩니다. 다시 말해서 학급규칙은 학교규칙(학칙)의 범위 내에서, 학교규칙은 고시의 범위 내에서 규정할 수 있습니다. 학급규칙을 정할 때 교사는 먼저 학칙을 세세하게 살펴보아야 하며 학급규칙이 학교규칙의 범위를 벗어나지 않는지 주의해야 합니다.

학생, 학부모의 동의를 받아_

학급규칙이 효력을 발휘하기 위해서는 학생만 아니라 학부모에게 공개하고 의견을 수렴한 후 동의를 받는 절차가 필요합니다(「교원의 학생생활지도에 관한 고시」제12조제11항). 적절한 절차에 따라 정해진 학급규칙은 학급 안에서 정당한 교육활동의 근거가 됩니다. 최종 확정된 학급규칙은 관리자의 결재를 받은 후 가정통신문으로 학생과 학부모에게 공개, 배부하는 것이 안전합니다.

현재 시점에서의 최선

정당한 교육활동의 충족 요건 중 일부는 교권보호 4법을 근거로 마련되었습니다. '기타 사회상규에 위배되지 않는 행위'는 여전히 논란의 여지가 있으나 현장 전문가의 판단에 따라 작성될 교육감 의견서에 기대를 걸어봅니다. 교육청에서 교육활동 확인서와 교육감 의견서 작성 시 다섯 가지 요건(정당성, 상당성, 균형성, 긴급성, 보충성)을 충족하는 것에 중점

을 둔다면 법적 판단에서 긍정적인 영향을 미
칠 수 있을 것입니다.

아동복지법이 개정되지 않는 한 발생 가
능한 문제의 원인을 원천적으로 차단했다고
볼 수 없습니다. 그렇다고 국회만 바라보고 손
을 놓고 있을 수 없는 노릇입니다. 업무포털
어딘가에 공문서로 '존재'만 하던 학칙, 완벽
한 무관심의 영역이었던 교육부 고시, 교육 관
련 법을 교실 안에, 교사 가까이 두어야 합니
다. 현재 시점에서 스스로를 보호하고 서로를
돌볼 수 있는 구체적인 방법들을 하나하나 찾
아야 합니다.

66

적절한 절차에 따라 정해진
학급규칙은 학급 안에서
정당한 교육활동의
근거가 됩니다.

INTERVIEW

동막천,
선배교사로서
책무성을 느꼈습니다

#교사 집회
#공동성명서
#집행부 경험

time / 2023. 9.~10.
place / 카페, 네이버 웨일
interviewee / 동막천
interviewer / H, 희별
writing / H

교사 집회

간단한 자기소개 부탁드려요.

저는 21년 차 교사고요, 2002년에 발령을 받았습니다. 의정부에 살던 아내를 만나서 주로 의정부를 근거로 연천, 포천 등지에서 근무했습니다.

닉네임이 동막천이라니 특이한데요? 설마 흐르는 '천' 이름인가요?

동막천은 저희 아파트 단지 안을 흐르는 실개천 이름입니다. 제 부캐가 자전거 덕후, 자덕인데요. 자전거를 타다가 역량이 부족해서 대열에서 떨어지는 경우를 '흐른다'라고 표현하거든요. 천이 흘러내려 가잖아요, 저도 잘 흘러내려서 '동막천'이라는 닉네임을 쓰고 있습니다.

서이초 사태가 발생하고, 7월 22일 첫 집회를 시작으로 9월 27일 현재 9차 집회까지 진행되었습니다. 저는 1차 집회에 참여하면서도 이렇게까지 장기 집회로, 또 이렇게까지 많은 교사가 꾸준히 모이리라고는 생각지 않았습니다. 교사 집회와 관련한 선생님의 첫 기억은 무엇인가요?

7월 18일 저녁에 선생님의 사망 소식을 언론을 통해 들었죠. 그날 밤, 아내가 잠을 못 자고 흐느끼는 거예요. 있어서는 안 되지만 예상할 수 있는 비극이었다는 생각이 들었어요. 그 주 주말에 있던 집회에는 선약이 있어서 못 가고, 집회 이후에 서이초에 갔어요. 많은 추모글 중에 "이 곳에 또 다른 내가 죽었다"는 표현에 가슴 먹먹하더라고요. 교직 경력이 20년 정도 되니 저 역시 비슷한 경험이 있었고 그때의 트라우마가 올라오기도 했습니다.

동막천,
선배교사로서
책무성을
느꼈습니다

당시 동막천님의 감정은 어떤 것이었을까요?

제가 20년간 겪었던 일들을 이들이 겨우 1~2년 만에 축약해서 경험하고 있다는 사실을 알게 됐어요. 선배 교사로서 책무성을 느꼈습니다. 할 수 있는 역할을 고민하기 시작했습니다.

#공동성명서

그저 미안함을 넘는 책무성이 동막천님을 움직이게 했군요.

4차 집회가 방학 중이었어요. 진행팀에 들어가야겠다고 생각하고 지원했습니다. 비슷한 시기에 패들렛으로 집회의 방향을 모으고 있었는데 거기에 제가 교원단체가 연합해서 목소리를 내는 공동성명서를 건의했고 그것이 가장 많은 동의를 받았습니다. 제가 건의도 했고 진행팀이기도 하니 그 부분은 제가 추진하겠다고 했죠.

교원단체의 공동성명서가 필요하다고 판단하신 이유는 무엇인가요?

정치를 떠나서 교원 단체들이 집회에 계속 참여하고 있기 때문에 공동의 성명이 필요하다고 생각했습니다. 당시 여섯 개의 교원 단체 중 세 개 단체는 이미 논의하고 있었고요.

공동성명서를 낸 것이 여섯 개 단체였죠? 구체적으로 어떻게 되나요?

교총, 교사노조, 전교조, 실천교사, 좋은교사, 새로운학교네트워크입니다.

공동성명서 제안에 각 단체의 반응이 어땠는지 궁금합니다.

교사 집회 별로 집행부는 완전히 별개에요. 전혀 연계되지 않습니다. 저는 4차 집회 집행부로 월요일부터 금요일까지, 딱 5일간만 이 일을 추진하는 거였어요. 4차에서 공동성명서를 내지 못한다고 해서 5차로 연기할 수 없는 상황이었죠. 다음 날부터 저는 다시 하나의 점으로 돌아가는 거니까요. 그 지점에서 교원단체들 마음이 움직인 것 같아요. 기회라고 생각했을 수도 있고요.

공동성명서라는 것은 한목소리를 낸다는 것입니다. 하지만 여섯 개 단체의 성향이 너무 달라서 어려움이 있었을 것 같습니다.

물론 쉽지는 않았습니다. 정치권에서도 여섯 개 단체가 한목소리를 내는 것을 의아하게 여길 정도였으니까요. 사실 여섯 개 단체의 공동성명이라고 해도 그것이 엄청 큰일은 아닙니다. 전체 집회 과정 중 작은 부분, 프로그램 중 하나일 뿐이죠.

그래서 이번 공동성명서가 의미 있으면서도 놀라웠습니다. 4차 집회의 공동성명서를 계기로 이후에도 교사 단체가 몇 차례 공동성명서 발표 또는 기자회견을 한 것으로 알고 있는데요, 그 시작에 동막천님이 있다고 볼 수도 있죠. 연합의 필요와 제안은 어디에서부터 시작된 것일까요?

저는 대학 때 기독동아리 연합회 활동을 했었습니다. 기독교 동아리가 연합해야 한다고 생각했고, 그것이 하나님 나라 확장에 필요한 방법이라고 생각했습니다. 물론 각자 해야 할 일도 있지만 연합해서 해야 할 일도 있으니까요. 개인적으로 그때의 사고 프로세스가 이번에도 작동했다고 생각합니다.

굉장히 보람 있다고 느끼실 것 같습니다.

물론 그것이 저의 여름을 관통하는 보람이긴 하지만, 저는 교원단체의 연합보다 전국 각지에 흩어져 있던 선생님이 한자리에 모인다는 사실에 더 의미를 둡니다. 신나더라고요. 공교육 정상화의 역할과 지분은 선생님들에게 있으니까요.

동막천, 선배교사로서 한마음을 느꼈습니다

이번 집회를 분기로 교사의 단체 가입이 증가했다고 들었습니다. 교사들은 원래 이런 단체 가입의 필요성을 많이 느끼지 않는 집단인데 말이죠. 이 현상을 어떻게 보시는지요?

올여름에 각 단체의 회원 수가 엄청 늘었다고 합니다. 하지만 회원 수가 느는 것을 이번 사태 또는 집회의 순기능으로 보지는 않습니다. 회원 수의 급격한 증가가 단체가 감당할 수 있는 수준을 넘어설 수도 있으니까요. 그렇게 되면 회원이나 메시지 관리가 어려워집니다.

#집행부 경험

이후 집회에서의 집행부 경험도 이야기 해주세요.

6차, 9차 집회에서 버스팀을 했었습니다. 버스팀은 자기 지역 버스를 운영하게 되는데 봉사자로서의 피드백도 확실하고 재미있습니다. 저는 한 대를 운영했지만 지역에 따라서 다섯 대도 운영합니다. 신청받아서 자리 배정도 하고, 버스 위치 안내, 이동 경로 중 들러야 할 휴게소 이런 걸 정하죠. 현장체험학습 운영하는 거랑 똑같아요.

의정부에서 여의도는 가깝잖아요?

의정부 교장단 총무 하시는 분께 "의정부 버스 한 대 후원하시죠, 다른 지역도 다 하는데."라고 말씀드려서 후원받아서 운영했죠. 전국에서 버스를 타는 선생님들이 내는 참가비는 균일가로 만 원입니다. 의정부는 가까워서 버스 임차료가 크지 않으니 후원액이 적었지만 지방 같은 경우는 후원액이 크죠.

전국이 동일한 참가비라는 사실은 오늘 처음 알았어요. 전국 각지에서 집회 장소로 오는 버스를 보면 감탄을 넘어 존경스럽기까지 하더라고요.

저는 의정부 버스 한 대를 운영했지만 전국 버스 담당자들이 들어있는 오픈 카톡방도 있었어요. 집회 때 지방에서 새벽 6시에 '저희 지금 출발합니다.'는 카톡이 올라오면 마음이 막 웅장해지죠. 질서 유지

"

저는 교원단체의 연합보다
전국 각지에 흩어져 있던
선생님이 한자리에 모인다는
사실에 더 의미를 둡니다.
공교육 정상화의
역할과 지분은
선생님들에게 있으니까요.

팀이나 안전팀이 전국 각지에서 온 버스에서 까만 옷 입은 사람들이 내리는 걸 보면 그렇게 뭉클하대요. 수도권 사람들은 못 느끼는 감정이죠.

그 뭉클의 실체는 무엇일까요?

각 지역에서 오시는 분들을 보면 함께 움직이고 있다는 연대감, 거기에서 오는 보람이지 않을까요.

지하철을 타면 여의도역에 가까워져 올수록 검은 옷이 많아지는 순간, 그 연대감을 느낍니다. 그런데 동막천님은 확실히 교사단체 공동 성명서를 제안하고 진행했던 이야기보다 버스팀 이야기할 때 훨씬 표정에 생기가 넘칩니다.

네. 더 좋아요. 신나게 했던 것 같아요.

교사 집회가 조직적인 연결성이 있는 집회가 아닌데도 굉장히 기민하다는 인상을 받았습니다. 어떻게 이게 가능한 걸까요?

저도 많이 놀랐습니다. 이게 어떻게 가능할까 싶어요. 굉장히 시간과 노력이 많이 드는 일인데 말이죠. 메시지도 주고받아야 하고요. 집회를 진행할 때 신경 쓸 것이 굉장히 많아요. 방송, 미디어를 담당하는 이벤트 업체도 집행부가 조직되고 나면 월요일에 섭외하는 거에요. 4차 집회 때만 해도 4천만원 정도였던 방송 장비 대여비가 9월 2일 7차 집회 때는 1억이 넘었다고 들었습니다. 그만큼 규모가 컸어요.

동막천,
선배교사로서
책무성을
느꼈습니다

예산은 모두 교사들의 자발적인 모금이었죠?

저는 집행부였는데도 불구하고 후원하는 시간을 놓쳤어요. 마감까지 몇 시간 안 되니까 잠깐 딴짓하면 후원을 못 해요. 인디스쿨에서 살아야 할 수 있는 일입니다. 놀라운 일이에요. 오천 원, 만 원 내기가 이렇게 힘든가. 아이돌 콘서트 티켓팅급이죠. 무슨 이런 일이 다 있을까요. 집회, 시위의 역사를 바꾼 사례죠.

그 외 외부 정치 단체와의 연계는 끊어야 한다는 선명한 노선이 있었습니다. 그 당시 이걸 판단하는 것도 놀라웠습니다.

그건 이미 1, 2차 때 결정된 사안이었어요. 저도 처음에는 인디스쿨에 계신 분 중 외부 단체와 연결된 분이 있나 보다 싶었는데 아니더라고요. 처음부터 서이초 선생님의 추모 모임이라고 성격을 규정했기에 어떤 다른 정치적 집회나 단체와도 연결하지 않았어요. 특히 2차 집회를 진행했던 담당자는 예산 집행 과정에서 집행부 누구에게도 절대 이익이 돌아가지 않도록 했죠. 그렇게 해 놓으니까 이후에도 따라가게 되는 거예요.

결벽에 가까운 철저한 관리네요.

심지어 영수증에 상호를 싹 다 지워요. 다음 집회에서는 다시 섭외부터 시작하죠. 집회마다 정산을 제로로 맞추는 것은 기본이지만 5일간 서로 얼굴도 모르는 사람들이 모여서 이 일을 하는 것이 가능한가 싶어요.

집행부에서 같이 일을 하는 사람들과의 관계가 있나요?

일을 하는 5일 동안 전화 통화도 안 해요. 토요일 아침에 모여도 누가 누군지 몰라요. 소개할 때 놓치면 끝까지 모른 채 끝납니다.

그게 가능한 이유는 무엇일까요? 특별한 능력 있는 분들이 모였기 때문에 가능했을까요?

자발성이죠. 누가 시켰으면 안 해요. 자발성을 끌어내는 요인, 저를 움직이는 동인은 막내 선생님의 목숨값이라는 사실이었어요. 이것에 대한 책무, 다음 세대는 이렇지 않아야 한다는 교육자적 소명이 있죠.

'교사만 자살하냐, 교사 자살을 이야기하려면 다른 직군의 자살률도 모두 조사해 봐라'하는 기사 댓글이 있었습니다. 지금 교사들에게 일어나는 일들을 어떻게 해석할 수 있을까요?

그런 면도 인지하고 있어야 합니다. 우리만 너무 힘들다고 하는 것은 사회를 바라보는 올바른 시각은 아니겠죠. 객관적으로 바라봤을 때, 동일 유사 직군에서는 교사의 자살률이 높지 않은 것이 사실입니다. 하지만 어려움이 없어서가 아니라 교사는 사명감, 학생들로부터 오는 보람으로 어려움을 극복할 수 있었는데, 지금은 극복 기제가 많이 무너지지 않았나 싶습니다. 그것이 문제입니다. 학생 인권을 제자리로 회복하는 과정 중에 교사의 인권을 놓친 면도 없지 않다고 생각합니다. 두 인권이 서로 상호 보완 되어야겠죠.

사회의 여타 다른 많은 문제에도 불구하고 서이초 사태로 드러난 교직의 문제가 사회적으로 주목을 받아야 할 필요와 정당성이 있을까요?

이런 비극이 필요와 정당성을 요구하는 일일까요? 없었던 일이 일어난 것이 아니라 그동안 참아왔던, 눌러왔던 일들이 터진 거죠. 이번 사태를 계기로 삼아야 합니다.

> ❝
> 이런 비극이
> 필요와 정당성을 요구하는
> 일일까요?

동막천, 선배교사로서 꼭 마셨을 느꼈습니다

공교육 멈춤

대담한 행동으로
대중을 가르치다

열한 번의 교사 집회는 우리나라 시위의

역사를 바꾼 사건이었습니다.

집회에 참여한 인원수보다 중요한 것은

집회를 통해 교사들이 전달하려는 내용입니다.

그들의 용기 있는 행동은

대중에게 큰 울림이 되었습니다.

만 명으로 매주 늘다가, 9월 2일 7차 집회 때에는 무려 30만 명에 이르렀습니다. 전국 유·초·중등학교 교원 수 50만 명 중 3분의 2가량의 교사들이 무분별한 아동학대 신고의 폐해를 막고자 거리로 나온 것입니다.

교사가 거리로 나올 수밖에 없었던 이유는 무엇인가? 교사의 집단행동을 법으로 엄격하게 금하고 있음에도 불구하고 국민들이 지지를 보낸 까닭은 무엇인가? 교사의 용기 있는 행동으로 우리 사회가 배운 것은 무엇인가?

도로를 메운 30만 교사

9월 4일 공교육 멈춤의 날을 이틀 앞둔 주말, 여의도 국회의사당 앞에는 생경한 광경이 펼쳐졌습니다. 전국 각지에서 모인 교사 30만 명이 교권보호 4법을 통과시켜야 한다며 대규모 집회를 열었습니다. 7월 22일, 비 오는 여름날 시작된 집회는 아스팔트를 녹이는 불볕더위를 지나 가을까지 11차례나 이어졌습니다. 서울 보신각에서 정부 서울청사 앞으로, 여의도 국회의사당으로 집회 장소를 옮기는 동안 참여자 수는 5천 명에서 4만명으로, 다시 5

광장에서 마주한 나의 이야기

광장에서 들려온 동료 교사의 사연은 다름 아닌 자신의 이야기였습니다. 교사들은 발언대에 오른 동료 교사의 이야기를 들으며 그가 지나왔을 아픔에 슬퍼하였고, 같은 아픔을 숨기며 사는 자기 신세가 서글펐습니다. 자신과 발언대에 올라 울부짖는 동료가 닮은꼴로 겹쳐 보였습니다. "나는 운이 좋아 아이들이 말을 잘 들어줬고, 운이 좋아 이 자리에 살아있을 뿐이다."라며 집회에 참석한 9년 차 교사의 말대로, 악성 민원은 남의 이야기가 아닌 자신의 이야기였습니다. 교권 침해 사례는 미투 운동처럼 번져 나갔습니다.

서이초 교사의 죽음을 애도하며 교사들이 조문 화환을 보내고 추모행렬에 동참한 이유는 무엇일까요? 다른 직종에 비해 교직이 동료의 아픔에 공감하는 능력이 뛰어나서 그랬을까요? 광장으로 나가지 않고는 살 수 없다는 절박함 때문입니다. 교사들은 주말마다 광장에 모여 한 개인의 이야기를 모두의 이야기로 바꾸기 위해 애썼습니다. '누구나 그런 일을 당할 수 있어요. 선생님의 능력이나 노력이 부족해서가 아니에요.'라는 위로가 더해지면서 비로소 자신의 아픔을 마주할 용기가 생겼습니다.

공교육을 살리려는 진심

광장으로 교사가 모이기까지 순탄하게만 온 건 아니었습니다. 공교육 멈춤의 날을 앞두고는 이해관계가 첨예하게 갈렸습니다. 교사가 수업을 하지 않는 것이 정당한지, 혹여 교사 집회를 부정적으로 보는 이들에게 빌미를 제공하는 것은 아닌지 등을 두고 생각이 달랐습니다. 방법을 두고서도 학년과 업무에 따라 학교 구성원들 간에 생각이 나뉘었습니다. 물론 교육부가 파면·징계·해임 공문을 학교로 보내기 전까지는 말입니다. 교육부의 강경 대응은 교사들에게 흩어진 생각을 모아 결의를 다지는 요인으로 작용하였습니다.

염려와 달리 여론은 교사에게 호의적이었습니다. 연일 계속되는 교사들의 안타까운 소식이 전해지면서 교사들이 극심한 위험에 노출되어 있음이 사실로 드러났기 때문입니다. '오죽하면 교사들이 거리로 나왔겠느냐'며 국민 대부분이 교육의 공공성을 회복하자는 외침에 공감했습니다. 공교육 정상화라는 겉치레 뒤에 내팽개쳐 있는 교육 현장의 실상이 드

> 교사는 행동하는
> 민주시민으로 대중에게
> 가르치는 일을
> 멈추지 않았습니다.

러나고 이를 회복하려는 진심이 모두에게 전해졌습니다. 교사와 학생, 교사와 학부모가 서로 신뢰하지 않고서는 공교육이 제 기능을 다할 수 없다는 주장에 힘이 실렸습니다.

행동하는 민주시민

단일 직군 30만명의 시위는 그 자체로 대한민국 시위의 역사를 바꾼 사건입니다. 집회가 끝난 후에는 "모든 시위를 교사 집회처럼 했으면 좋겠다"는 경찰로 추정되는 이의 온라인 글이 화제가 되었습니다. 교사들은 집회 전부터 질서 유지를 위해 봉사자를 모집하였고, 집회 중에 불법 행위로 입건된 사람은 아무도 없었으며, 집회 후에는 쓰레기 하나도 남기지 않았습니다. 바둑판 대열로 앉아 시위하는 장면이 화제가 되기도 하였습니다.

그럼에도 불구하고 질서 정연한 집회를 두고서 비아냥 섞인 목소리도 있었습니다. 교사의 점잖은 태도가 투쟁과 어울리지 않는다거나 단체 주도의 집회에 비해 개인 주도의 집회가 힘이 약해 보인다는 둥 미덥지 않다는 말들이 무성했습니다. 준법 집회라는 잣대를 엄중히 드리운 데는 시위 참가자가 대부분 교사였기 때문입니다. 질서 정연한 집회는 학생을 민주시민으로 기르는 교사로서 마땅히 보여야 할 모습입니다. 개인 주도의 집회 형태는 단체 행동권을 법으로 보장받지 못한 상황에서 교사가 할 수 있는 최선의 길이었습니다. 교사는 행동하는 민주시민으로 대중에게 가르치는 일을 멈추지 않았습니다.

공교육 멈춤

멈추니 보이는 것들

공교육 멈춤은 가르침을 멈추는 것이 아닙니다.

성찰 없이 달려온 우리 교육을 돌아보는 전환점입니다.

멈추어야만 볼 수 있고,

멈추어야만 보여줄 수 있는 것이 있습니다.

CHAPTER 02
REFLECTION

광장에서 학교로

엇갈린 반응과 실체

공교육 멈춤의 날을 두고서 교육계의 반응은 엇갈렸습니다. 교육부는 추모 행사와 관련, 위법성이 있을 경우 엄정 대응하겠다며 으름장을 놓았습니다. '재량휴업은 급박한 상황에만 지정할 수 있고, 교사는 특별한 사유 없이 수업일에 연가를 사용할 수 없다. 공무원의 집단행동은 불법이고 목적도 방법도 정당하지 않다'며 '법에 따라 대응하겠다'고 경고하였습니다. 교권 보호를 책임져야 할 주무 부서가 교사를 보호하기는커녕 징계와 파면을 운운하며 겁을 주었습니다. 그동안 교권 보호와 공교육 정상화를 위한 현장의 절실한 목소리가 넘쳐났음에도 문제가 터지고 나서야 대책 마련에 급급한 모습이었습니다.

시도교육청은 교육감의 정치 성향에 따라 다른 반응을 보였습니다. 진보 성향의 교육감들은 "교사들의 정당한 주장을 존중하고 교사들을 보호하고 지키는 일에 주저함이 없게 하겠다", "추모와 애도의 마음으로 모인 선생님들을 끝까지 보호하고 함께 하겠다"며 교사 추모 집회를 지지하였습니다. 반면에 보수 성향의 교육감은 자제를 요청하였습니다. "선생님들이 교권을 위해 학생 수업을 멈추는 것은 어떠한 경우에도 정당화될 수 없다", "어떠한 상황에서도 국가공무원의 의무를 저버리는 집단행동과 학생들의 학습권을 포기하는 연가, 병가 사용 등의 행위는 바람직하지 않다"라고 강조하였습니다.

학교는 구성원들의 의견에 따라 움직였습니다. 어떤 학교는 학사 일정을 변경하여 9월 4일을 재량휴업일로 지정하였습니다. 또 다른 학교에서는 학사 일정은 그대로 두고 수업 시간을 변경하거나 합반하여 운영하였습니다. 염려와 달리 교사 간에 갈등과 대립은 크지 않았습니다. 연가, 병가, 조퇴 등을 내고 추모 집회에 참여하였든, 동료의 빈자리를 채우며 교실을 지켰든 서로의 결정을 존중하였습니다.

소를 잃어버리고도
외양간을 제대로 고치지 않는다

교직은 손가락 사이를 빠져나가는 모래알과 같다는 소리를 사회로부터 들었습니다. 그러나 광장에서 만난 교사의 모습은 전혀 달랐습니다. 교사들이 뭉치면 누구도 상상하지 못한 일이 벌어진다는 것을 모두에게 각인시켰습니다. 광장에 모여 연대하는 기쁨이 얼마나 크고 대단한 일인지도 경험하였습니다. 한 개인의 행동이 큰 변화를 일으킬 수 있다는 희망도 보았습니다. 국회의원의 동의를 이끌어내 교권보호 4법 통과라는 성과도 얻었습니다.

그래서 추락한 교권은 다시 회복되었나요? 교사와 학생 모두에게 안전한 공간으로 교실이 바뀌었나요? 교사의 권위를 인정하는 분위기가 만들어졌나요? 학생의 교육받을 권리도 보장받게 되었나요?

신뢰 속에서 가르침과 배움이 균형을 이루게 되었나요? 교권 침해로 입었던 상처가 치유되고 이전과 같은 아픔을 더 이상 겪지 않도록 교육 당국의 실효성 있는 지원책이 마련되었나요?

아쉽게도 교권보호 4법이 통과되기 전 상태와 크게 다르지 않습니다. 교직은 여전히 위험 가운데 있고 교권 침해는 계속해서 일어납니다. 법과 제도가 보완되었음에도 학교 현장은 변화를 감지할 수 없습니다. 왜일까요? 비극을 불행으로 보기 때문입니다. 비극적인 사건은 불행한 일로 남겨두고 이를 바로잡기 위한 논의는 별개의 문제로 여기는 경우가 많습니다. 마치 소를 잃어버린 일과 외양간 고치는 일을 연관 짓지 못하는 것과 같습니다. 위

> 주위의 압박에도 흔들리지 않고
> '제대로 교육할 권리 보장'을
> 줄기차게 요구한 것은
> 참으로 잘한 일입니다.

험은 위험대로, 법은 법대로, 제도는 제도대로 따로 노는 구조가 바뀌지 않는 한 또 다른 비극을 맞이할 수밖에 없습니다.

정당한 교육활동을 보호하라

교권 침해가 빈번히 일어나는 까닭은 우리 사회가 '내 자식만 최고야'라는 욕망에 사로잡혔기 때문입니다. 과도한 입시경쟁이 빚어낸 비정함과 관료화된 학교 운영의 무능함, 그 틈을 노려 세력을 키우려는 개인과 이익단체의 탐욕이 문제의 근원입니다. 공공성을 상실한 학교는 인류의 보편적 가치와 사회 공동의 유익을 추구하는 교육을 펼칠 수 없게 되었습니다. 공공성 부재는 교육이 추구하는 가치를 납

작하게 만들었고 교권마저 쪼그라드는 결과를 낳았습니다. 광장에서 교사들이 "제대로 교육할 권리를 보장하라!"라며 소리 높여 외칠 수밖에 없었던 이유입니다.

교육 당국은 이러한 사실을 모를 리 없음에도 학생인권조례를 교권 침해의 원인으로 지목하였습니다. 의도성이 짙은 정치적 행위로 해석할 수밖에 없습니다. 학생과 학부모가 교사의 적이라도 되는 양 교육 당국이 여론을 부추긴 것이 사실이라면 우리는 이렇게 질문해야 합니다.

얼토당토않은 말로 유지하려던 기존 질서는 무엇인가? 추모를 위한 시간조차 허용하지 않으면서까지 공교육이 멈추지 말아야 하는 이유는 무엇인가? 사회는 공교육에 무엇을 바라는가? 학교는 무엇을 위해 존재하고 그 안에서 살아가는 교사는 과연 어떤 존재인가?

무마하려 할 것입니다. 갖가지 꼼수를 동원하여 교사를 분열시키려 할 것입니다. 그럴수록 사태만 악화시키는 결과를 낳을 것이 분명합니다. 관료화된 학교의 무능과 부당함을 건드리지 않고 법과 제도로 문제를 덮으려는 시도는 교사의 눈에 의도적인 왜곡으로 밖에 보이지 않습니다.

주위의 압박에도 흔들리지 않고 '제대로 교육할 권리 보장'을 줄기차게 요구한 것은 참으로 잘한 일입니다. 서로를 존중하며 동료 교사의 이야기에 귀를 기울였기에 가능했습니다. 하지만 우리는 조금 더 깐깐해질 필요가 있습니다. 교육 당국이 교사의 이야기를 제대로 들으려고 하는지, 현장의 소리를 담아 정책을 올바로 만들고자 하는지, 이러한 노력이 교육의 공공성을 회복하는 결실로 나타나는지 세심히 살펴야 합니다. 교육 당국은 늘 그래왔던 것처럼 승진 가산점이나 성과급 등으로

비일상적인 상황을 만나면
책임은 다양한 모양새를 드러냅니다.
책임의 모양을 통해 우리는
누가 리더인지 생각합니다.
우리에게는 '내'가 아닌 '우리'를
책임지는 리더가 필요합니다.

공적 책임

vs

사적 챙김

공동체 안에 담겨 있는 '공적 책임'

"악성 민원을 제기하는 학부모보다 더 견딜 수 없었던 것은 열심히 일한 교사를 보호하지 않은 교육청과 교장이었습니다. 많은 교사들이 교권 붕괴에 절망하고 하나뿐인 생명을 내던지고 있을 때 교육부와 교육청은 무엇을 하고 있었습니까?"

26년 차 선생님의 절규는 모든 교사가 경험했던, 혹은 경험할 내용이었습니다. 학부모의 악성 민원에 교실의 교사들이 무너져가는 동안에도 교육부와 교육청은 아무런 반응을 하지 않았습니다. 결국 동료를 잃고, 뭐라도 해야겠다며 교사들을 광장으로 끌어낸 것은 한 명의 교사였습니다.

"교육부에서 연가나 병가를 낸 교사를 대상으로 징계한다고 하니 신중히 선택하세요. 뭐, 승진할 분들은 알아서 하실 테니 그렇고, 전출 가실 분들도 순위에 밀려날 거니 알아서 하시고요. 선택은 자율이지만 책임도 개인이 지는 겁니다."

교무회의 시간, 교감 선생님께서 교육부 지침을 교사에게 전달합니다. 맞는 말입니다. 책임은 개인이 져야 함이 마땅합니다. 자신이 선택한 일을 가지고 누구를 원망하겠습니까. 평소 교사가 아이들에게 늘 하는 말이 책임인 걸요. 하지만 책임이라고 다 같진 않습니다.

어떤 학교는 학교장이 먼저 나서 재량휴업을 결정했습니다.
어떤 학교는 검은색 플래카드를 내걸기로 결정하여 추모를 표현했습니다.
어떤 학교는 책임 운운하며 각자 알아서 하라는 태도로 교사들을 묶어 두었습니다.
어떤 학교는 교육부가 '병가 허용'이라는 공문을 시행하기 전까지는 절대 결재하지 않겠다며 모든 병가 결재를 거부했습니다.

어떤 교사는 집회를 제안하고 시작을 열었습니다.

어떤 교사는 집행부로 지원하여 일주일간 밤을 새워 집회를 준비했습니다.

어떤 교사는 집회에 참여하기 위해 목포와 부산에서 새벽 버스를 타고 출발했습니다.

어떤 교사는 학년 아이들을 모두 자신이 돌볼 테니 안심하고 병가를 내라고 말했습니다.

어떤 교사는 '나만 참으면 된다며 힘들게 견디어 온 자신이 결국 후배를 이 지경으로 만들었다'고 후회와 미안함으로 눈물을 흘렸습니다.

서이초 사건이 발생한 후 11차까지 이어진 집회와 공교육 멈춤의 날을 지나며 학교 안팎에 다양한 책임의 모양새를 지켜보았습니다. 안타깝게도 친목회식에서 술잔을 부딪치며 말하던 '00가족'은 존재하지 않았습니다. 교사들은 알아버렸습니다. 학교의 리더라던 이들이 사실은 말 그대로 교사를 상급 기관의 지시에 따라 '관리하려 드는' 이들일 뿐이었다는 걸 말입니다. 위기의 순간에 관리자가 교사의 편에 서지 않을지도 모른다는 막연한 짐작은 부인할 수 없는 사실이 되어 광장에 내걸렸습니다. 물론 관리자들도 나름의 사정이 있었겠지요. 징계의 겁박 앞에 교사보다 더 큰 압력을 느꼈을 겁니다. 하지만 '그럼에도 불구하고' 연가와 병가를 쓰며 거리에 모인 이들과, '그러니까 어쩔 수 없이' 결재를 거부한 이들에게 책임은 지향도 다르고 무게도 다릅니다.

누가 리더인가

불이익을 당하더라도 교사들이 지려 했던 것은 '공적 책임'이었습니다. 그것은 외부로부터 지워진 것이 아니었습니다. 누군가의 일을 '그에게' 두지 않고 '우리에게'로 가져오겠다는 의지에서 나온, 자발적으로 짊어진 책임이었습니다. 이를 두고 관리자들은 알아서 하라는 '사적 책임'으로 답했습니다. 앞뒤가 맞지 않습니다. 관리만 해도 되는 시기에는 기꺼이 리더가 되겠던 이들이 정작 문제가 생기면 '알아서 책임'을 종용합니다. 그들이 말하는 것은 책임이 아닙니다. 오히려 책임질 일은 절대 하지 않겠다는 '사적 챙김'에 가깝습니다.

상황을 두고 어떤 책임을 선택할지는 자유이지만, 책임의 모양새를 통해 학교 안에 누가 리더인지는 분명하게 드러납니다. 책임은 내가 아니라 우리에서 나옵니다. 그렇게까지 하지 않아도 되는 순간에도 기꺼이 그렇게 하겠다는 마음에서 나옵니다. 우리는 공적 책임을 지는 리더를 통해 배웁니다. 그리고 공적 책임을 지는 리더를 통해 학교는 공동체로 세워집니다. 말이 아니라 현장에서 서로를 책임지는 진짜 공동체 말입니다.

> "
>
> 우리는 공적 책임을 지는
> 리더를 통해 배웁니다.
> 그리고 공적 책임을 지는 리더를
> 통해 학교는 공동체로 세워집니다.

틀에 갇힌 교사

법의 보호에 의존하는 가르침

법이 개정되고
고시가 발표되었습니다.
법과 고시는 교사를 지키는
안전한 울타리지만,
울타리가 틀이 되는 순간
교사의 가르침은 생명력을
잃을 수도 있습니다.

고시에 대하여 "법과 시행령에 비해 구속력이 약하다. 고시에 따른 문제행동을 보이는 학생을 분리하려면 환경과 인력이 부족한 경우가 대다수"라고 말하며 실효성 있는 학생생활지도를 위한 지원이 필요하다고 강조합니다.

생활지도의 구속력을 강화하고 재정과 인력 지원을 보충하면 실효성 있는 학생생활지도가 가능할까요? 고시에 따른 학생생활지도에 대한 교사의 태도가 긍정적으로 바뀔까요?

싸늘한 현장의 반응

서이초 사건이 일어난 지 한 달여 만에 교육부는 교원의 학생생활지도 고시안을 내놓았습니다. 학칙 개정 전까지 특례 운영을 추진할 정도로 교사의 생활지도 권한을 신속하게 강화하였습니다. 이는 법률 개정 이전에 교육 당국이 학생생활지도를 발표하고 즉각적으로 시행한 드물고 이례적인 사례입니다.

그러나 이러한 변화에도 불구하고 현장의 반응은 싸늘합니다. 교사들은 교육 당국의

학생생활지도의 태생적 한계

고시에 따른 생활지도 방법에는 조언, 상담, 주의, 훈육, 훈계, 보상이 있습니다. 교사가 '생활지도가 어렵다.'라고 말하는 경우는 학생의 문제행동이 개선되지 않을 때입니다. 조언, 상담, 주의, 훈육, 훈계, 보상이 도무지 통하지 않는 학생을 만났을 때 생활지도 과정에서 어려움을 겪습니다. 학칙대로 지도했지만 개선되지 않을 때 교사는 좌절합니다. 교육 당국이 제시한 학생생활지도는 정작 생활지도가 필요한 학생에게 통하지 않는다는 것이 결점입

니다. 교사의 생활지도 범위를 벗어나는 매우 심각한 문제행동에는 효과를 기대하기 어렵습니다.

고시에 따른 학생생활지도는 사전적 정의와 달리, 생활지도의 주체, 시기, 지도 범위, 방법과 같은 요소를 말합니다. 교사에게 부여한 학생생활지도 권한의 범위 및 방식 등에 관한 기준을 제시한 것입니다. 교사는 고시의 범위 내에서 학생생활지도를 해야 합니다. 고시의 내용이 정당한 학생생활지도의 기준이며, 이로써 교사는 생활지도의 정당성을 보장받을 수 있습니다. 고시에 따라 교사의 생활지도가 법령과 학칙에 의해 정당한 교육활동에 포함된 것은 환영할 만한 일입니다. 하지만 교사가 학생의 문제행동 개선보다 지도 행위의 법적 정당성을 확보하는 일에 온통 신경을 쓰도록 만든다는 점이 한계입니다.

법령·고시·학칙이 정한 범위 안에서 학생을 지도하더라도 안심할 수 없습니다. 예를 들면, 고시에 따른 생활지도의 훈육 방식 가운데 제지는 문제행동에 대해서만 명료히 행해야 합니다. 법령·고시·학칙이 정한 범위 안에서 교사가 제지하였더라도 교사의 말이 학생에게 감정적이고 모욕적으로 들렸다면 법적인 판단을 받게 됩니다. 지시할 때도 마찬가지입니다. 지시란 '특정한 과업을 부여하거나 특정한 행위를 하도록 요구하는 행위'를 말하는데, 정당한 지시로 인정받으려면 학교규칙과 학급규칙으로 미리 정해 두어야 합니다. 교사가 학칙과 규정에 없는 행위를 학생에게 요구하였다면 부당한 지시가 됩니다. 규정과 절차에 따라 교사가 학생을 지도하더라도 법적 효력이 없거나 위법으로 판단 받을 가능성이 있습니다.

학생의 문제행동을 인식하고 조언과 상담, 주의를 주었음에도 개선되지 않을 때, 훈육을 앞두고 교사의 머릿속에 여러 가지 질문이 떠오릅니다.

> 법령·고시·학칙에 맞게 내가 학생을 지도할 수 있을까? 내 말과 행동이 법령·고시·학칙이 정한 범위를 벗어나면 어떻게 하지? 생활지도 절차에 어긋나는 실수를 저지른다면? 정당한 교육활동으로 판단 받으려면 내가 뭘 더 조심해야 할까? 그럼에도 불구하고 지도 방법에 대해 학생과 학부모가 불만을 품는다면 어떻게 하지?

교사는 학생의 문제행동에 적합한 지도 방법을 찾기보다 지도 과정의 법적 정당성을 먼저 챙깁니다. 교사의 단호한 지도에도 해결이 어려운 상황에서, 두려움 마음에 소극적으로 머뭇거린다면 학생의 문제행동 개선을 기대하기는 더욱 어렵습니다.

까짓것 그냥 넘어갈까?

법이 정한 규칙대로 가르치려니 오히려 아무것도 하기 싫어집니다. 정당한 교육활동이 법으로 보장받는 건 바라는 바이나, 가르칠 권리를 법에 의존해야만 하는 상황에 놓일수록 교육력을 잃게 될까 우려스럽습니다.

틀에 갇힌 교사

그러니
아무 것도 하지 않는 것을
선택하겠습니다

뜨거운 광장의 기억은

학교 안에서 차갑게 식어갑니다.

꼭 해야 하는 것만 하겠다는 다짐은

교사에게 여유 대신 무기력을 안깁니다.

어렵지만 학교 안에서

기쁨의 감각을 되살리려는

노력이 필요합니다.

되기도 합니다. 정말로 그렇다며 교사인 친구들과 맞장구를 쳤지만 왠지 대화의 뒤끝이 씁쓸합니다. 민원에 잡아먹히지 않는 안전한 교사가 되려면 느지막이 일어나 게으르게 움직이며, 참교사가 되려고 노력하지도 말고, 시키는 일만 하면서, 그저 아무 일도 일어나지 않는 교실을 만들어야 하는 걸까요?

서이초 사건은 분명한 임계점이었습니다. 우연히 일어난 일이 아닙니다. 마음 약한 젊은 교사가 우발적으로 저지른 개인적 일탈은 더더욱 아닙니다. 해결되지 않은 채 억눌려 있던 학교 안팎의 굵직한 문제들이 한계에 도달했다는 신호였습니다. 규범이 강하게 작동하는 교직 사회에서 밖으로 차마 꺼내지 못했던 슬픔과 분노가 거리로 쏟아져 나왔습니다. 광장을 덮은 검은 바다는 서로의 상처를 보듬고 위로하였습니다. 시민들의 공감과 지지를 바탕으로 교권보호 4법이 개정되고, 교사의 정당한 생활지도를 보호하기 위한 학생생활지도 규정이 교육부 고시로 시행되었습니다. 우리는 많은 것을 이루어 냈습니다. 이 정도면 굉장한 성과입니다.

아무 일도 일어나지 않는 교실

일찍 일어나는 새가 잡아먹힐 확률이 높고, 열심히 하는 교사가 악성 민원을 받을 확률이 높습니다. 참교사가 단명한다는 짧고 굵은 격언도 있습니다. 하긴, 아무것도 하지 않아서 민원을 받는 경우는 극히 드뭅니다. 뭘 좀 해보겠다고 분주히 움직일 때 사고의 확률은 높아집니다. 아이를 잘 지도해보겠다며 이 방법 저 방법 써보다가 학부모로부터 항의가 들어옵니다. 수업 중 무기력한 아이를 남겨서 해야 할 일을 끝까지 완성하게 한 것이 화근이

하지만 이상합니다.

성취의 환호는 어디에서도 들리지 않습니다. 슬픔의 연대로 뜨거웠던 광장은 학교 공간에서 체념과 무기력으로 무겁게 가라앉은 듯 보입니다. 온라인 커뮤니티에는 '열심히 하지 말자'는 의견이 분위기를 주도하고 적지 않은 교사들이 이에 동의합니다. 어떻게 하면 좋을지 함께 고민하던 공동체의 자리는 '나중에 걸리지 않으려면 꼭 해야 하는 일'의 목록이 대신합니다. 타이밍도 절묘한 일명 '노란버스' 사태는 안 그래도 냉랭한 학교 공기에 얼음물을 한 바가지 끼얹었습니다. 그깟 현장학습 안 가면 그만이죠. 교사로서는 위험을 감수할 이유가 전혀 없습니다.

교육부에서 내려온 학생생활지도 규정은 매우 촘촘합니다. 학생의 지도는 단계별로 분류되어 있고 학생의 반응에 따라 교사가 취해야 할 다음 행동도 명시되어 있습니다. 학생생활지도 규정을 벗어나지 않는 범위에서 만들어질 학교규칙은 한층 더 촘촘해질 수밖에 없습니다. 교칙에 어긋나지 않는 학급규칙은 교실에서 따로 덧붙일 것이 거의 없을 정도입니다. 이미 움직일 수 없을 만큼 빈틈없이 촘촘합니다. 그것은 일종의 매뉴얼입니다. 교사는 학생을 지도하기 전에 매뉴얼을 한 번 확인합니다. 매뉴얼대로만 하면 적어도 큰 탈은 나지 않습니다. 만에 하나 탈이 나더라도 매뉴얼에 따라 교사 자신은 보호받을 수 있겠죠. 절차와 규정이 비대해지며 재량과 자율이 움츠러듭니다만 지금은 자율보다 생존이 우선이니까요. 감수해야겠지요.

매사에 의욕 넘치던 후배가 이제부터 아무것도 열심히 하지 않겠다고 선언했습니다. 안타깝지만 뭐라 딱히 할 말이 없습니다. 이런 분위기에서는 무언가를 해보자고 제안할 용기가 나지 않습니다. "꼭 해야 하나요?"라는 질문이 되돌아오면 어렵게 꺼낸 마음이 쪼그라듭니다. 특정한 개인의 특별한 반응이 아닙니다. 우리는 이전보다 더 무기력해지고 한층 더 예민해진 듯합니다. '이제는 나도 참지 않겠다'는 날 선 마음들이 부딪혀 서로에게 상처를 입힙니다. 그사이 열심히 하지 않겠다는 후배의 얼굴은 한층 더 어두워졌습니다. 우리 이대로 괜찮을지 모르겠습니다.

어렵지만 기쁨의 감각을 되살려 봅니다

교사인 당신은, 그리고 우리는 언제 기뻤을까요? 교과서에 있는 내용을 그대로 가르치기 싫어서 고민할 때가 있었습니다. 의미 있는 내용을 어떻게 잘 전달할 수 있을지 머리를 굴리다가 '이거다!'하는 아이디어가 떠올랐을 때 쾌감을 잊을 수 없습니다. 많은 시간과 에너지를 들여 만든 수업 자료를 나 혼자 쓰기 아까

워서 동학년 선생님들께 나눠드리거나 온라인 커뮤니티에 올리면 뿌듯함으로 가슴이 두근거렸습니다. 쉬는 시간 종이 쳤는데도 아이들이 "조금만 더 해요."라고 외칠 때 "쉬는 시간 줄어드는 건 내 탓이 아니야."라고 으름장을 놓으며 좋아했습니다. 우리 반 가장 조용한 아이가 마음속 깊은 이야기를 들려줄 때, 내가 선생님인 것이 자랑스러웠습니다. 동학년 선생님이 건넨 따뜻한 커피와 다독거림으로 차갑던 마음에 온기가 돌 때도 있었습니다. 공동체 선생님들과 뜬구름 같은 이상적인 교육에 관해 이야기하다가 퇴근 시간이 이렇게나 지났냐며 놀랄 때도 좋았습니다. 맞습니다. 우리는 안 해도 되는 일, 아무도 시키지 않은 일에 열심을 낼 때 즐거웠습니다.

> **"**
> 우리는 안 해도 되는 일,
> 아무도 시키지 않은 일에
> 열심을 낼 때
> 즐거웠습니다.

상처가 클수록 안으로 움츠러듭니다. 내가 직접 받은 상처가 아니어도, 옆 사람이 크게 상처 입는 장면을 지켜보는 것만으로도 마음은 움츠러들기 마련입니다. 불안의 감정은 전염성이 강해서 어느덧 우리를 무겁게 덮습니다. 당위와 규범은 딱딱합니다. 이런 것들은 상처를 싸맬 수도, 상처를 치료할 수도 없습니다. 법과 고시가 나를 안전하게 지켜줄 것이란 보장도 없습니다.

지금은 서로를 향한 지치지 않는 기다림이 필요한 때입니다. 동시에 우리에게는 기쁨과 연대의 감각을 함께 느낄 '옆 반 선생님'이 필요합니다. 그 '옆 반 선생님'은 또 다른 '옆 반 선생님'이 필요하겠죠. 우리 중 누구라도 기쁨과 보람, 뿌듯함을 잃지 않는다면 결국 서로가 밟고 설 수 있는 땅이 되어줄 겁니다. 시간이 다소 걸리더라도 말입니다. 시든 나뭇가지에 다시 생기가 돌 때까지 지치지 말고 서로를 살뜰히 돌볼 수 있기를 바라봅니다.

13. 틀에 갇힌 교사_
그러나
아무 것도
하지 않는 것을
선택하겠습니다

제가 이기적인 건가요?

이기적이란 말을 들으면 기분이 나쁘지만 어쩔 수 없습니다.
이기적인 교사가 살아남으니까요.
우리는 그저 살아남고 싶을 뿐입니다.

내년에 관한 대화

"1학년은 그 자체로 헬이고, 2학년엔 대박 금쪽이가 3명이고, 3학년은 학부모들이 전체적으로 잔잔하게 진상이고, 4학년엔 작년에 학교 뒤집어 놓은 그 유명한 학부모가 있고, 5학년은 작년에만 학폭이 다섯 건 열렸고, 6학년은 1학년 때부터 유명했던 애들이야. 내년에 갈 학년이 없어."

"내년엔 나 이 업무 무조건 뗄 거야. 또 주면 교장실 들어간다."

"아무래도 나 내년에 학폭 줄 것 같아. 그냥 업무 없는 6학년 가야 하나, 얘네 재작년에 가르친 애들인데…"

"내년에 부장하라고 하면 그냥 휴직할 거야."

찬 바람이 불어오면 교사들 사이에 '내년'이 대화의 주된 주제가 됩니다. 힘든 학년, 힘든 업무, 힘든 학부모, 힘든 아이, 거기다 예민한 동료까지 피할 것이 한둘이 아닙니다. 살길을 찾아 나름의 시나리오를 짜둡니다. 병원 진단서가 교사의 권력이라는 말이 나올 정도니 분위기는 알만 합니다. 교사들 사이에서야 아주 흔하디흔한 이야기지만 학교 밖 누가 들을까 걱정이 됩니다. 자기 몸보신을 최우선으로 하는 이기적인 집단처럼 보일지도 모르겠습니다. 하려는 사람이 줄을 섰으니 그렇게나 하기 싫으면 그만두라는 댓글이 수백개 달리겠죠. 하지만 그들이 모르는 것이 있습니다. 이것은 생존에 관한 이야기라는 사실을요.

기피 업무와 금쪽이

방과후 관련 업무는 대표적 기피 업무 중 하나입니다. 학교가 문화센터도 아닌데 양질의 프로그램을 운영해서 소비자인 학부모와 학생의 만족도를 끌어올려야 합니다. 민원도 심심찮게 들어옵니다. 힘들게 구한 강사들마저 속을 썩입니다. 그중 교사들이 가장 취약한 분야는 돈 계산입니다. 도통 이해할 수 없는 지침들에 따라 지출해야 하는데 여기에서 오류가 생기면 다음번 행정 감사에서 응당한 책임을 져야 합니다. 담당 교사와 부장의 잘못이라고는 남들이 모두 싫어하는 기피 업무를 하는 수 없이 받았을 뿐입니다. 억울합니다. 잘하는 것이 기본이고 잘못하면 완벽하게 마이너스입니다. 게다가, 이것은 우리 반 아이들을 가르치는 것과도 전혀 상관없는 일이란 말입니다.

학폭 업무는 그야말로 최악입니다. 사건이 터지면 정신이 혼미해집니다. 일촉즉발로 예민해진 양측의 의견을 중립적으로 기록해야 하고, 절차에 맞게 일을 진행해야 합니다. 시간도 중요합니다. '인지 후 48시간 이내 교육청 보고', '즉시 분리' 이런 말은 무시무시합니다. 퇴근도 못합니다. 혼신을 다해 사건을 처리하고 내용상 아무런 문제가 없었어도, 운이 나쁘면 담당 교사는 고소를 당합니다. 절차의 문제로 행정 소송에서 학교가 패소하기도 합니다. 우리 반 아이들은 방치되고, 수업 준비는 차차차 후로 밀립니다.

학년이 구성되고 학급을 정하는 제비가 던져지면 긴장으로 손이 떨립니다. 경력이 2,30년이 넘는 베테랑 교사도, 발령 3년 미만의 신규 교사도 제비 앞에서는 평등합니다. 순간의 선택이 일 년을 좌우합니다. 매년 좋은 반을 뽑아 평온한 일상을 유지하는 금손 교사도 있고, 매년 금쪽이가 있는 반을 뽑아 개고생하는 똥손 교사도 있습니다. 반이 정해지고 가출석부를 받아서 명단을 확인하는 눈동자가 흔들립니다. 탄식과 안도의 한숨이 공기를 가릅니다. 다행히 어느 반에는 없고, 불행히도 어느 반에는 있습니다. 그때부터 금쪽이는 온전히 담임의 몫입니다. 수업 중 담임에게 욕을 하고, 친구들에게 발차기하고, 매일 울고불고 떼를 쓰고, 등교를 거부하고, 학부모는 하루가 멀다고 민원성 전화를 합니다. 이들은 대체 왜 이리도 억울한 것이 많을까요. 친절한 동학년 선생님들은 나의 얘기를 잘 들어주고, 위로합니다. 하지만 힘든 얘기, 어려운 얘기도 하루 이틀이죠. 이제 말을 꺼내기도 지칩니다. 관리자들에게 도움을 구해볼까 싶지만, 베테랑 교사는 자존심이 상해서, 신규 교사는 징징거리는 것처럼 비춰질까 망설입니다. 어느 순간, 그들이 교사로서의 나의 자질, 능력을 의심하는 것 같아 신경질적 반응이 툭 튀어나오기도 합니다. 삶이 피폐해집니다. 아침마다 출근이 두려워 위산이 역류합니다. 이 역할을 벗어던질 수만 있다면 무슨 선택이라도 할 수 있을 듯합니다. 이 순간 필요한 것은 공허한 위로의 말이 아닙니다.

학교 안의 논픽션

글을 쓰다 보니 울컥합니다. 이것은 완벽한 논픽션, 조금의 과장이 없는 극사실주의에 가깝습니다. 교실 무한책임, 담당자 무한책임의 공간에서 교사 개인이 할 수 있는 것은 발생할 수 있는 문제상황을 피하는 것입니다. 일단 그 일이 내 일이 아니어야 살아남을 수 있으니까요. 더 좋은 것을 선택하려는 욕심이 아니라 최악을 피하고 싶은 두려움입니다. 그렇게 피하고, 피하고, 피하다 보면 학교 안에 가장 힘없는 사람들이 남습니다. 저경력 교사, 돌볼 자녀가 없는 미혼 교사, 부탁을 대차게 거절하지 못하는 맘 약한 교사 등등 말입니다. 저경력인데 돌볼 자녀가 없고 맘이 약하고 몸이 건강한 교사는 백퍼센트 당첨입니다. 그가 바로 서이초 교사였을지도 모르겠군요.

우리는 광장에서 외쳤습니다.

"당신이 나입니다."

하지만 학교라는 좁은 공간에서 당신이 내가 되기는 너무나 어렵고 두렵습니다. 저경력 교사에게 힘든 업무가 돌아가지 않도록 "제가 하겠습니다"라고 말할 수 있는 고경력 교사가 있을까요? 신규 교사가 금쪽이를 맡지 않도록 "금쪽이가 있는 반을 저에게 주세요"라고 자원하는 학년 부장님이 있을까요? 네, 있습니다. 아주 극.소.수 있습니다. 전국에 있는 모든 학교가 유니콘 같은 존재의 자발적 선의에 기댈 수 없습니다. 학교에서 99%를 차지하는 우리는 무한한 책임이 두려운 평범한 교사들일 뿐입니다.

학교는 공동체인가요? 아니면 조직인가요? 공동체라면 문제와 책임을 나눌 수 있어야 하고, 조직이라면 책임에 관한 시스템이 마련되어야 합니다. 어느 것에 더 많은 무게를 실어야 하는가에는 이견이 있겠지만 학교는 조직이며 동시에 공동체입니다. 그러니 법 개

정도 필요하고, 생활지도에 관한 고시도 필요
하고, 새로운 관리자 역할의 롤모델도 필요합
니다. 금쪽이의 담임이라는 이유로 교사가 고
소·고발을 당하는 일도 없어야 하고, 학교 감
사를 몇 달 앞두고 교사들이 초과근무를 밥 먹
듯이 해야 하는 일도 없어야 합니다. 금쪽이
를 어떻게 지도할지에 대한 체계적 공동지도
방안도 있어야 합니다. 가르치는 일과 업무의
구분이 모호하다는 이유로 어쩔 수 없이 감수
해야 하는 행정 처리도 줄여야 합니다.

교사인 당신이 이기적인지 아닌지 지금으
로서는 말할 수 없습니다. 더 이상 교사가 두
려움으로 출근하고, 불안으로 퇴근하지 않아
도 되는 날이 오면, 그때 진지하게 다시 논의
해 봅시다.

"
더 이상 교사가
두려움으로 출근하고,
불안으로 퇴근하지
않아도 되는 날이 오면,
그때 진지하게
다시 논의해 봅시다.

14. 광장에서 학교로_
제가
이기적인 건가요

광장에서 학교로

무엇이 선생님을
스러지게 할까요?

교사는 무엇이든 열심히 하는 이들입니다.

혼자서 잘 해내려 애씁니다.

하지만 아무리 애써도

마음속에 남는 의문, 상처, 좌절은

어쩔 수 없습니다.

혼자서는 도저히 해결이 안 됩니다.

"혹시 삶을 놓고 싶었던 순간이 있나요?"

처음부터 어두운 질문을 하게 되었습니다. 아마 대부분은 생각조차 하지 않으셨을 텐데(꼭 그러셨으면 좋겠습니다.) 저는 딱 한 번 있습니다. 군에서 종일 야근하면서 상관에게 인격을 무너뜨리는 말을 여러 번 반복해서 들었던 때였습니다. 지역 대운동장에서 하는 큰 행사를 마무리하고 책잡힐 것은 없는지 조마조마하던 때,

　"야, 끝났는데 청소는 어떻게 할 거야? 뒷정리 계획도 안 올렸어? 니가 다 해야겠네 그럼."

아, 이 말을 듣고 눈앞이 캄캄해지고 정신이 순간 멍해졌습니다. 나를 버티게 하는 삶의 끈이 툭 끊어지는 느낌이라고 할까요? 어찌저찌 정리를 하고 불이 꺼진, 어두컴컴한 사무실에 돌아왔습니다. 불을 켜기도 싫었습니다. 브리핑할 자료를 찾으려 컴퓨터를 켰는데 모니터를 보면서도 정신이 멍한 겁니다. 내가 이 세상에 없는 느낌, 붕 떠 있는 느낌이 들었습니다. 그 상태로 한참을 있다가 손과 발이 무언가에 이끌리듯 천천히 움직이기 시작했습니다. 예전에 보았던 어떤 이의 자살 기사가 떠올라 그대로 따라 하려던 찰나, 선배 한 분이 사무실 불을 켜고 들어오셨습니다.

　"오늘 고생했는데 여기서 뭐해? 일단 남은 일은 내일 하고 밥이라도 같이 먹자."

그랬구나. 저녁 먹는 것도 잊고 일을 했더라고요. 그 선배와 밤늦게 밥을 먹고 무사히 집으로 돌아왔습니다. 그 선배가 아니었다면 아마 지금 저는 없었을 겁니다.

지난 여름, 선생님의 안타까운 소식을 들었을 때 정신이 멍했습니다. 친목회 회식 자리였는데 그때 그날이 떠오른 겁니다. 이후 집회가 이어지고 법 개정을 요구하는 목소리가 많았지만, 저는 그보다 선생님의 내면을 생각했습니다. 선생님에게 그날은, 그날에 이르기까지의 시간은 어땠을까요?

교사가 삶을 놓고 싶어질 때는 언제일까?

선생님의 삶이 무너져갔던 시간을 생각하면서 '그때 나는 왜 삶을 놓고 싶었을까?' 돌아보았습니다. 당시 저는 임용시험에서 탈락한 상태로 입대할 수밖에 없었고, 좌절감과 미래에 대한 막연한 불안함이 있었습니다. 무시무시한 상관을 만나서 매일 저의 능력과 인격을 무너뜨리는 말을 들으며 수치심을 느꼈습니다. 저의 보직이 희귀해서 비슷한 연배가 없는 상황이라 퇴근 이후나 주말에 마음을 털어놓을 대상도 없었습니다. 비슷한 나날이 반복되다

보니 제 머릿속에는 항상 '또 실패했구나. 이렇게 살아서 뭐 하니?'라는 목소리가 울렸습니다. 돌이켜 보니 그 시기는 목표를 이루지 못하여 좌절한 상태에서 타인에 의해 지속적인 수치심을 겪고, 이를 토로할 대상이 없는, 사회적으로 고립된 상태였습니다. 삶의 목적과 의미를 잃고, 의지가 꺾인 마음이 '삶을 놓고 싶다'는 생각으로 이어진 것입니다. 좌절감, 수치심, 사회적 고립, 이로 인한 삶의 의미와 목적의 상실. 혹시 선생님은 어떠신가요?

교사의 좌절감과 고립, 상실의 트리거

우리나라에서 교사가 되는 것은 참 쉽지 않습니다. 일단 치열한 입시 경쟁을 뚫고 교대나 사범대에 합격해야 합니다. 공립학교 교원이 되려면 4년의 학부 생활을 거치고 임용시험에 합격해야 합니다. 지역별로 경쟁률 차이는 있지만 대부분 입시에서 성공한 학생들끼리의 경쟁이기 때문에 이 또한 매우 치열합니

다. 가까스로 치열함을 뚫고 나면 교사가 되어 첫 발령을 받습니다. 이들은 누군가와 마음을 터놓고 대화하거나 깊이 연대하는 공동체를 경험한 적이 거의 없습니다. 기껏해야 학교에서 조별 과제를 같이 해결하거나 임용 합격을 위해 같이 공부하는 정도의 모임입니다. 대부분의 삶이 '개인의 노력과 보상'으로 이루어져 있기에 뜻밖의 상실을 겪으면 그 어려움과 책임 또한 오롯이 개인이 짊어져야 한다고 여깁니다.

피나는 노력이 익숙한 교사들은 첫 근무지에서도 최선을 다해 열심히 합니다. 각종 연수에서 쏟아내는 '교육 트렌드'를 배우고 수업에 적용하기 위해 열과 성을 다합니다. 어떻게든 시간과 정성을 들여 학생에게 좋은 것을 주

려 애씁니다. 지금까지 그래왔던 것처럼 개인적으로 열심히 노력해서 성과를 내고 싶어 하고 학생과 주변 선생님들께 인정도 받고 싶어 합니다.

하지만 주어진 것을 열심히 외우고 적용해서 정해진 답을 맞히는 대학 입시나 임용시험과는 다르게 교사의 가르침, 교육은 매우 모호한 성격을 띱니다. 교육의 목표가 '학생의 전인적 발달, 성장'이라고 하는데 무엇이 발달이고 성장인지가 확실치 않습니다. 교육 목표나 방법을 명확히 해서 1년 동안 열심히 노력해도 학생들의 성향이나 분위기, 학습 맥락 등에 따라 교사가 원하는 변화, 성과가 즉각 나타나지 않을 확률이 높습니다. 교사 교육을 통해서 '어떻게' 가르치는지 답습해서 학생들에

게 일괄로 적용할 수는 있지만 학생의 개인적 상황이나 분위기, 상태, 주변 환경에 따라 교사의 가르침은 수시로 변화해야 합니다. 학생들이 가져오는 삶 자체가 너무나도 다양하기 때문입니다.

안타깝지만 실제 교실 현장에서 교사와 학생의 만남 중 일어나는 일들은 쉽게 지나치고 잊힙니다. 행정 업무나 학교폭력과 같이 큰 일이 아닌 이상 교사에게 생긴 이야기와 질문, 어려움은 각자의 몫입니다. 개인의 고군분투에는 누구도 주목하지 않고, 학교 교육을 말할 때 의제가 되지도 않습니다. 학교를 두고 시대의 흐름, 혁신과 미래를 논하는 이들은 많지만 교사 개인이 겪는 일상 속 경험과 질문, 어려움에는 무관심합니다. 사람들의 이목을 끌기에 매력적이지 않기 때문일까요.

이런 상황이 수년간 반복되면 교사는 자신의 가르침에 자신감이 점점 떨어집니다. 교실에서 뭔가 하고는 있는데 무엇을 하는지, 왜 하는지 명확하지 않은 상태로 학습 진도를 쫓기에 급급합니다. 연수를 듣거나 좋은 자료를 다운받아 활용하면 학급이 잘 굴러가는 듯 보이기에 마음속 의문, 어려움은 일단 한 켠에 치워둡니다. 동료 교사들과도 깊은 이야기를 나누는 것이 쉽지 않습니다. 이들은 자신의 가르침에 질문을 하지 않으며, 교실 내에서의 일은 오롯이 개인의 일이자 책임이라고 생각합니다.

공개 수업, 동료 장학은 매우 부담스럽습니다. 나의 가르침이 무엇인지 질문하기보다 '어떻게' 잘 보여줄지 먼저 고민하게 됩니다. 옆 반이 멋진 작품을 게시하면 우리 반도 해야 하는 것 아닌가 싶고, 옆 반 학생들이 질서 있게 줄을 서서 이동하는 것을 보면 '우리 반은 왜 이럴까?' 싶습니다. 비교 의식 속에서 교실 속 일상과 교사의 생각은 각자의 생각으로 더욱 머물게 됩니다. 타인의 시선을 신경 쓰느라 자신의 관점과 실제 가르침이 단절되고, 동료 교사를 비롯한 교육 구성원과의 관계조차 단절되어 가는 상태. 교사는 자신도 모르게 좌절하고 고립되어 가고 있습니다.

이런 상황에서 악성 민원과 같은 외부의 공격이나 큰 어려움이 발생한다면 어떻게 될까요? 교사의 지도 관점이 명확하지 않은 경우 자신의 교육 행위의 근거를 명확히 설명하기 어려워 더욱 좌절합니다. 주변 동료에게 문제 상황을 토로하기도 쉽지 않습니다. 다들 크고 작은 문제가 있을 텐데 나의 문제를 남에게 전가하는 것 같아서 말을 꺼내기 어렵습니다. 내 교실의 일은 오롯이 나의 일이기 때문에 모든 책임을 나에게 돌립니다. 그래도 나름 뭔가를 위해 열심히, 바쁘게 살아왔는데 그 모든 것이 부정당하는 느낌이 들 때, 교사는 큰 상실감을 경험합니다. 삶조차 내려놓고 싶은 취약하고 위험한 상태가 됩니다.

안타까운 사건 이후 교사들이 모여 '안전하게 가르칠 수 있는 학교'를 만들어 달라고 외쳤고, 교권 보호을 위한 법, 학생생활지도에 관한 규정 등이 개정되면서 제도적 개선을 위한 노력이 이어지고 있습니다. 교사들의 가르침이 기본적으로 보호받기 위해서는 제도 개선이 꼭 필요합니다. 하지만 이것이 모든 문제를 해결할 수 있는, 근본적 해결책이 될 수 있을까요? 법과 제도로 교사와 학생의 행동이 규정된다면 교사는 교사로서 삶의 의미와 목적을 되찾을 수 있을까요? 예전보다 교사의 가르침이 보호를 받게 되겠지만, 근본적인 일상적 좌절과 고립의 문제는 해결될 수 있을까요?

고민이 깊어지는 날들입니다.

광장에서 학교로

광장의 하나됨을
학교로 잇는다면

우리는 광장에서 깊은 연대를 경험했습니다.
하지만 광장의 뜨거움이 학교로 들어오는
일은 뜨거운 광장으로 나가는 일보다 더 많은
용기와 결단이 필요할지도 모르겠습니다.

뭉클한 마음 한켠에 걱정이 올라옵니다. 뜨거운 광장에서 공유했던 '우리의 책임'이 더 이상 교사들이 아프고 죽지 않아도 되는 학교로 이어질 수 있을까요? 질문을 이렇게 바꿔 봅니다. 해가 바뀌어 2월이 되었을 때 동학년 사이에서 학급을 나눠맡는 순간에 우리는 '금쪽이'의 담임을 어떻게 결정하고 있을까요? 업무분장을 나누는 시기에 학폭담당업무는 어떤 형태로 누구에게 갈까요?

전문가의 위치와 맞바꾼 공동체성

교사들은 대부분 교실에서 홀로 학생들을 가르칩니다. 학교 내에서도 적은 수의 동료들과만 긴밀한 관계를 맺습니다. 물론 교사들은 많은 회의를 합니다. 하지만 가르침의 방향이나 내용보다는 업무 추진에 필요한 실무적인 결정이 많습니다. 협력하는 듯하지만 자세히 보면 협업이 아닌 분업에 가깝기도 합니다.

교육활동의 독립성은 교사가 전문가의 위치를 얻는 과정에서 자연스럽게 생긴 특징입니다. 교육의 전문성을 인정받음으로 교사는

'책임'이 가진 여러 가지 쓰임

'9월 4일 공교육 멈춤의 날' 앞에 우리는 책임이라는 단어가 가진 여러 쓰임새를 보았습니다. 이 단어를 말하며, 누구는 징계에 대한 책임은 각자 알아서 지라는 겁박으로, 누구는 교사의 죽음에 대한 자신의 법적, 도의적 책임을 전가하는 변명으로 사용하기도 했습니다.

'지켜 드리지 못해 죄송합니다.'

여기, 책임의 또 다른 쓰임이 있습니다. '우리'였던 분을 돌보지 못했다는 동료애로서의 책임 말입니다.

자신의 영역에서 자율적으로 가르칠 수 있습니다. 교육에 대해 함께 의논하는 경우에도 교육과정의 목적이나 교사의 수업 행위보다는 교육자료나 학생의 문제인 경우가 많습니다 (Litle, 1999)*. 이와 관련하여 교육학자 Hargreaves(2000)**는 교직의 개인화를 자율적 전문성 시대의 큰 특징이라고 합니다.

문제는 많은 교사들이 개인화된 교실로 숨는다는 것입니다. 아시죠? 2월에 학년 배정할 때, '눈 한번 질끈 감으면' 일 년이 덜 힘들다는 것을. 힘든 업무, 문제 학생반을 파악하는 정보력과, 이를 피할 수 있는 정치력을 발동하는 건 두려움이 가져오는 일종의 생존본능입니다. 한 번쯤 느껴보셨을 겁니다. 기피 업무나 학급을 맡은 교사에게 모이는 안쓰러운 걱정 한 마디와 그 뒤에 묻은 약간의 안도감을 말이죠.

서이초 사건을 교훈 삼아 교사들은 악성 민원으로부터 당연히 보호받아야 합니다. 교육활동에 부당한 제약을 주는 제도와 관행도 고쳐야 합니다. 그러나 희생된 교사들에 대한 책임을 외부에서만 찾는 것이 불편합니다. 왜 서이초 선생님은 저경력임에도 불구하고 가장 민원이 많은 1학년 담임을 연달아 맡게 되었을까요? 왜 학교는 서이초 선생님에게 걸려 온 악성 민원을 혼자 감당하게 했을까요?

선생님들의 보신주의. 교사를 보호하는 법과 제도를 만들더라도, 교사들의 각자도생의 교직문화는 결국 또 다른 형태의 문제 앞에 교사를 홀로 둘 것입니다. 힘든 업무도 민원도, 내가 맡지 않아서 다행이라는 이기심을 불러오는 두려움은 우리 중 어떤 분을 또 다른 '서이초 교사'로 만들 가능성의 씨앗으로 남습니다.

*Cochran-Smith, M,. & Lytle, S. .L (1999). Relationships of knowledge and practice: Teacher learing in communities. Review of Research in Education, 24, 249-305.

**Hargreaves, A. (2000). Four ages of professionalism and professional learning. Teachers and Teaching, 6(2), 151-182.

광장의 하나 됨을 학교로 잇는다면?

지난 여름 우리는 광장에서 깊은 연대를 경험했습니다. 여름보다 뜨겁고 진했던 기억이, 마치 아무 일도 없었던 듯 학교가 이전으로 돌아가지 않기를 간절하게 바랍니다.

> 세대를 넘어서 대동단결하는 건 아주 드문 일인데요. 교사들이 연대할 기회, 그게 지금인 것 같아요. _전혜원. 시사IN 기자

선생님들의 안타까운 죽음에서 보듯이, 법과 제도의 변화는 항상 문제가 일어난 뒤에야 어렵사리 찾아옵니다. 그리고 앞으로도 교육에는 우리가 예상치 못하는 여러 문제가 닥쳐오겠죠. 교육을 흔드는 어려움으로부터 교사를 보호하기 위해서는 교사 공동체의 회복이 꼭 필요합니다. 지금이 기회입니다. 교육계 안에 공동체성을 깊게 할 기회.

학교에 무리한 요구가 주어질 때, 학교 구성원인 교사 전체의 판단 과정이 있어야 합니다. 지금은 일단 받아들이고 누가 맡을 건지 폭탄 돌리기를 하고 있습니다. 이번에 내려온 '교원의 학생생활지도에 관한 고시'로 학생 분리를 누가, 어떻게 할지 학교마다 갈등이 일듯이 말입니다. 교육부는 업무에 관한 인력과 예산 지원도 없이, 지침만 덩그러니 내렸습니다. 적절한 여건 마련 없이 학교 내 갈등을 조장하는 정책과 지침에 교사들은 자꾸만 갈라치기를 당

> **"**
> 교사들이 서로 연대하고 공동으로 지도하는 '우리로서의 책임'을 감당하는 의지 또한 중요합니다.

해왔습니다. 교사들은 여기에 공동의 교육적 판단으로 수용 여부를 보여야 합니다.

교사들은 서로를 보호해 주어야 합니다. 우리는 가르침에 관한 짐을 같이 질 수 있습니다. 업무의 어려움을 공유하고 공동체적으로 해결할 수 있습니다. 서로가 서로에게 힘이 되는, 그래서 교사가 숨 쉴 여지가 있는 학교로 만들 수 있습니다. 외부 환경이 거칠어도 굳건하고 안전한 교사 공동체가 필요합니다. 특히나 저경력 교사에게 넉넉한 배려의 손길이 닿아야 합니다. 문제의 해결 방안을 외부에서만 찾을 일이 아니라, 교사 공동체의 건강성을 성찰하는 기회로 삼아야 합니다.

학교 신문 제작으로 난감해하던 선생님의 업무를 함께 해드렸던 경험이 있습니다. 행사 사진을 모으고 기사를 쓰는 일의 절반을 가져와서 대신해 드렸습니다. 덕분에 그 선생님은 그나마 여유를 가지고 학급을 잘 운영할 수 있었습니다. 내 업무가 아닌 걸 나눠서 하다니요, 낯설지 모르지만 이는 우리가 광장에

서 경험한 연대와 본질적으로 같은 일이지 않을까요? 광장의 경험을 학교로 가지고 들어와야 합니다.

궁금해요, 2월의 학교 풍경이

알지 못했던 동료 교사들의 소중한 목숨이 남긴 과제는 교권 회복을 위한 제도 개선과 입법 활동입니다. 하지만 동시에 교사들이 서로 연대하고 공동으로 지도하는 '우리로서의 책임'을 감당하는 의지 또한 중요합니다. 옆 반 선생님에게, 동학년끼리, 학교의 영역에서 서로를 끌어안을 수 있는 공동의 교육 말입니다.

돌아오는 새 학년의 반 배정과 업무 분장의 때에 학교는 어떤 모습을 보일까요? 광장에서 공유했던 연대의 모습을 발견할 수 있을까요? 어찌 보면 '공교육 멈춤'의 날보다 더한 용기가 필요할지 모르겠습니다.

가르칠 수 있게 해주세요.
권위를 달라는 것이 아닙니다.
교사를 존중해주고
믿어주세요.

———

1차 집회 자유발언

교권은
교육전문가로서의 권리와
학교에서 한 인간으로서
가져야 할 기본적인 인권이
뒷받침되어야
보장받을 수 있습니다.

———

3차 집회 자유발언

누군가에겐 그저
한 사람의 죽음일 수 있지만
나와 교직에 있는 모두는
'나를 향할 수도 있었다'는 걸
알고 있습니다.

———

6차 집회 자유발언

현장에서 세상을 등진
선생님의 마음을 감히 헤아려
봅니다. 그곳에서는 평안하시기
를 기도합니다. -경기교사 올림-
선생님이 원했던.. 바랐던
교육현장을 위해 잊지않고
노력하겠습니다. 옳지않은
교사의 인권을 짓밟는
행위를 묵인하지 않겠습
니다. 편히 쉬어요...
미안합니다.. 삼가 고인의
명복을 빕니다...
하늘나라에서는
부디 마음 편할
수 있기를.
삼가 고인의 명복을
빕니다. -선배교사-
삼가 고인의
명복을 빕니다.
잘못이 아닙니다.
선생님의 잘못이 아닙니다.
삼가 고인의 명복을
빕니다.
힘든 시간
같이 이겨내주지
못해 미안해요
선생님 부디 그곳에서는
편안히 쉬실 수 있기를
기도합니다.
또 미안합니다.
영면하시기 바랍니다.

CHAPTER 02

REFLECTION

- - - // - - - ——

춤, 광장에서 학교로

기억하며

CHAPTER 03

PRACTICE

- // - - - - - -

학교 안의
참여와 연대

교원의 생활지도에 관한 고시 해설서를 살펴보면 생활지도의 절차는 '학생 문제행동 인식 ⇒ 조언, 상담, 주의 ⇒ 문제 행동 미인정, 미개선할 경우 훈육, 훈계'의 순서로 안내하고 있습니다. 이런 절차는 사안 발생 후 어떻게 대응할지에 초점이 맞추어져 있습니다. 교사에게 필요한 것은 소 잃고 외양간을 고치는 '대응'보다 소를 잃지 않기 위한 '예방'입니다.

학교와 학년이 공동 하는 생활지도는 어떤 절차로 하나요?

STEP 1. 학교 차원의 생활지도 지원팀을 조직합니다

STEP 2. 학기 초 개별 교사의 상황을 이해하는 '공동 대화' 과정을 거칩니다

STEP 3. 학년별 공동지도 방안을 미리 협의합니다

학교차원의 생활지도
지원팀을 조직합니다

학사일정이 시작되는 시점에 학교 차원의 생활지도 지원팀을 만들어 운영합니다. 팀은 주로 '선 예방 후 지도'를 핵심 원칙으로 삼아 학생들의 건강한 학교생활을 지원합니다.

생활지도 지원팀의 운영 단계 >>

1. **기대행동 3~5개 설정**: 교사 간 협의를 거쳐 학생에게 가르칠 기대행동 3~5가지를 정합니다.

2. **생활지도 방안 제시**: 교사에게 기대행동에 따른 구체적인 행동들을 제시하고 지도 요령을 안내합니다. 예를 들어 기대행동이 '안전 지키기'라면 구체적인 행동은 복도에서 천천히 걷기 또는 손 자주 씻기 등으로 이를 위한 지도 방법이나 학생과의 소통 전략, 예방활동에 도움이 되는 자료 등을 마련합니다.

3. **시범 보이기 및 연습 기회 제공**: 학생에게 기대행동과 구체적인 행동이 무엇인지 안내합니다. 교사는 시범을 보이고 학생이 연습할 수 있도록 기회를 줍니다.

이후에도 생활지도 지원팀은 교사, 학생에게 관련 콘텐츠를 지속적으로 제작하여 안내합니다.

1. 학교와 학년의 공통 학생 생활지도는 어떤 절차로 하나요?

학기 초 교사의 상황을 이해하는 '공동 대화' 과정을 거칩니다

학생 생활지도는 해당 학급의 담임교사가 혼자서만 수행하는 일이 아니라 공동의 협업으로 이루어져야 하는데, 이를 위해서는 학기 초에 대화하는 과정이 매우 중요합니다.

공동 대화 과정의 고려 사항 >>

- **교사의 상황 공유와 대화 필요**: 학급을 배정하기 전에 경력, 건강 상태, 업무 등 서로의 상황을 공유하며 대화하는 과정이 필요합니다. 반 편성 시 특수학급 대상 학생, 동명이인, 교우관계, 부진아, 학폭 사건 연루 학생, 위기 학생 등 다양한 사항에 주의를 기울이지만 생활지도가 필요한 학생이 한 학급에 몰리는 경우가 종종 발생합니다. 따라서 상황을 함께 살피고 이해하며, 어떤 부분에서 서로가 배려할 수 있는지 협의한 후에 학급을 배정하는 것이 좋습니다.

- **공동의 과제로 인식**: 학급 배정은 '제로섬 게임'이 아닌 언제든 서로의 배려와 도움을 받을 수 있는 '공동의 과제'로 인식하는 과정이 중요합니다. 일반적으로 학급을 배정할 때 제비뽑기를 하는 경우가 많습니다. 모두에게 동일한 기회를 부여하는 측면에서 제비뽑기를 공평하다 여깁니다. 그러나 결과마저 공평한 것은 아닙니다. 생활지도의 난이도가 반에 따라 다르기 때문에 '나만 아니면 된다'라는 입장보다는 대화를 통해 공동의 과제로 학급 배정을 인식하는 과정이 중요합니다.

학년별 공동지도 방안을 미리 협의합니다

학년 차원에서 생활지도 계획을 세우는 것이 중요합니다. 생활지도 관련 사안이 발생하면 해결하는 데 많은 시간과 에너지가 소요됩니다. 사안이 일어나기 전에 학년 전체가 협력하는 과정이 필요합니다. 월별이나 분기별로 생활지도 목표, 지도 방법, 담당자를 정해 추진합니다.

시기 별 협의 사항 >>

1. **학기 초 기본 생활지도 실시**: 학기 초에는 전 학생을 대상으로 휴대전화 사용, 복도 통행, 특별실 또는 화장실 사용 등의 기본 생활지도를 실시합니다.

2. **학기 중 행사 관련 주의 사항 지도**: 학기 중에는 현장학습이나 체육대회 등 학년 행사를 앞두고 주의 사항을 학년 차원에서 지도합니다.

3. **학기 말 수정과 보완**: 학기 말에는 지켜지지 않은 사항이나 문제가 된 부분을 학년이 협의하여 지도 방안을 수정하고 보완합니다.

이와 같은 방식으로 학년 전체가 협력하여 효과적인 생활지도를 계획하고 수행하는 과정이 중요합니다.

학급규칙을 만들 때 주의할 점은 무엇인가요?

"학급규칙을 만들 필요가 있을까요?", "학급규칙을 만든다고 해서 뭐가 달라지는 거죠?", "교권보호 4법이 통과되었으니 다 된 거 아닌가요?"라고 생각을 할 수 있습니다. 안타깝지만 법이 제정되었다고 해서 갑자기 민원이 줄어들거나 위기 학생이 변하는 일은 일어나지 않습니다. 하지만 지난 9월 1일 시행된 '교원의 학생생활지도에 관한 고시'에 따라 학급규칙이 당당하게 공식 문서로서 지위를 인정받았습니다. 정당한 생활지도의 기초는 학년 초에 학급규칙을 만드는 일에서 시작됩니다.

STEP 1. 교육부의 '교원의 학생생활지도에 관한 고시'를 살펴봅니다

STEP 2. 학교규칙의 범위를 벗어나지 않는지 살펴봅니다

STEP 3. 학생, 학부모의 동의를 구합니다

교육부의「교원의 학생생활지도에 관한 고시」를 살펴봅니다

학급규칙의 기본이 되는 것은 교원의 학생생활지도에 관한 고시입니다.

고려할 원칙 >>

• **상위법 우선 원칙**: 상위법에서 정한 바에 위배되는 사항이 하위법령에 규정되어 있을 경우, 이는 효력이 없고 그에 근거한 행위는 위법행위가 됩니다.

교원의 학생생활지도에 관한 고시 확인 → 학교규칙(학칙) 제정 → 학급규칙 제정

• **고시의 세부 내용 살피기**: 비교적 세세하게 기술된 교원의 학생생활지도에 관한 고시를 살피는 것이 학급규칙 만들기의 시작입니다.

이와 같은 방식으로 교원의 학생생활지도에 관한 고시를 확인하는 것이 중요하며, 이는 학급규칙의 기반을 마련하는 첫 단계입니다.

학교규칙의 범위를
벗어나지 않는지 살펴봅니다

학교에서는 교원의 학생생활지도에 관한 고시에 따라 학교규칙을 만듭니다. 학교규칙은 학급규칙의 바탕이 됩니다.

고려할 원칙 >>

• **포괄적인 '방향' 확인**: 학교규칙은 포괄적인 '방향'에 가깝고, 학급규칙은 구체적인 '실천'에 가깝습니다. 학급규칙이 학교규칙을 벗어나지 않도록 주의해야 예상하지 못한 문제를 방지할 수 있습니다.

• **구체적인 상황 고려**: 규칙을 적용할 여러 상황을 예상해 봅니다. 예를 들어 학교규칙에는 '학생의 휴대전화 사용을 절제한다.'라고 되어 있는데, 학급규칙은 '등교 시부터 하교 시까지 휴대전화 사용을 금지한다.'라고 만들어졌다면, '학교에서 학생의 휴대전화 사용을 전면적으로 제한하는 조치는 과도하다.'라고 해석될 가능성이 높습니다.

학교규칙을 기반으로 하여 학급규칙을 만들 때, 학교규칙의 취지와 일관성을 유지하면서 세부적인 내용을 고려하는 것이 중요합니다.

03

학생, 학부모의
동의를 구합니다

학급규칙이 효력을 발휘하기 위해서는 교원의 학생생활지도에 관한 고시 제12조 제11항에 따라, 학생뿐만 아니라 학부모에게 공개하고 의견을 수렴한 후 동의를 받는 절차가 필요합니다.

동의 절차 >>

1. **학급규칙(안) 공개 및 학생 의견 수렴**: 학생들과 함께 만든 학급규칙(안)은 학생들에게 공개하고, 학생들의 의견을 수렴하여 수정합니다.

2. **학부모 의견 수렴 및 수정 반영**: 학생들의 의견 수렴 후, 학부모에게도 학급규칙(안)을 공개하고 학부모의 의견을 적극 수렴하여 수정하고 반영합니다.

3. **동의 획득**: 모든 학생과 학부모의 동의를 얻어야 합니다.

4. **관리자 결재 및 가정통신문 발송**: 학급규칙이 최종적으로 결정되면 관리자에게 결재를 받고, 결재를 받은 후에는 가정통신문을 활용하여 학생과 학부모에게 공지합니다.

적절한 절차에 따라 만들어진 학급규칙은 정당한 교육 활동의 근거가 됩니다.

2. 학급규칙을 만들 때 주의할 점은 무엇인가요?

교사와 학생이 학급에서 지켜야 할 규칙을 함께 만드는 일은 매우 중요합니다. 학급규칙은 원활한 소통과 협력을 도모하고 안전한 교실을 만드는 데 도움을 줍니다. 학생들은 규칙을 만들면서 자신의 행동에 책임을 느끼고, 서로를 존중하고 배려하는 태도를 기릅니다.

학급규칙은 어떻게 만드나요?

STEP 1. 과거에 교실에서 겪었던 불편했던 경험을 이야기합니다

STEP 2. 모두가 꿈꾸는 교실을 상상하고 바라는 점을 나눕니다

STEP 3. 모은 낱말을 한 문장으로 연결합니다

STEP 4. 선언문을 만들어서 꾸준히 실천합니다

STEP 5. 학생과 학부모에게 안내합니다

CHAPTER 03
PRACTICE

학교 안의
참여와 연대

과거에 교실에서 겪었던
불편했던 경험을 이야기합니다

학생에게 학급규칙 결정 활동을 소개합니다. "우리 반의 학급규칙을 만들기 위해 모두의 생각을 모아볼 거예요. 과거에 교실에서 겪었던 속상하거나 불편했던 기억이 있나요?"와 같은 질문으로 시작합니다.

학급규칙 결정 절차 >>

1. **경험 나누기**: 학생들이 속상하거나 불편했던 과거의 경험을 자유롭게 이야기하도록 유도합니다.

2. **분류하기**: "친구와 싸웠을 때 불편했어요.", "따돌리는 친구가 있으면 불편해요.", "폭력을 행사하거나 욕하는 친구가 불편해요.", "이기적으로 행동하는 친구가 불편해요." 등과 같은 경험

을 칠판에 게시하고 비슷한 내용끼리 묶습니다.

3. **상위 개념 도출**: 학생들이 불편함을 느끼는 경우를 종합하여 '친구에게 피해를 주는 행위'와 같은 상위 개념을 찾습니다.

4. **중요 낱말 갈무리**: 학생들이 언급한 중요한 낱말이나 주제를 갈무리하고 이를 바탕으로 학급규칙의 주요 내용을 정리합니다.

대화에서 소외되는 학생이 없는지 살피며 모든 학생이 참여하도록 분위기를 이끄는 교사의 역할이 필요합니다.

모두가 꿈꾸는 교실을
상상하고 바라는 점을 나눕니다

학생과 함께 우리 교실의 이상적인 모습에 대해 이야기를 나눕니다. 교사와 학생 각자가 바라는 교실을 상상하고 나눕니다.

대화 과정 >>

1. **긍정적 경험과 기대하는 교실의 연결:** 실제로 좋았던 경험을 떠올려 봅니다. 대화 예시)

   - 긍정적 경험에 관하여: "친구가 칭찬해 주었을 때 좋았어요.", "물건을 빌려주었을 때 고마웠어요.", "괜찮다고 말해 주었을 때 좋았어요."

   - 기대하는 교실에 관하여: "우리 교실이 이런 모습이면 좋겠어요.", "이런 교실에서 시간을 보내고 싶어요."

2. **기대하는 교실의 특징 정리:** 학생들의 의견을 종합하여 바라는 교실의 특징을 정리합니다. 각자가 언급한 내용을 토대로 비슷한 특징을 가진 내용을 묶어냅니다.

3. **상위 개념 도출:** 학생들의 이야기를 통하여 비슷한 내용을 묶는 방식으로 교실에서 중요하게 생각하는 가치나 행동을 도출합니다. '존중', '배려', '행복' 등의 낱말로 정리할 수 있습니다.

학급규칙에 반영될 중요한 가치나 행동을 학생들이 직접 나누고 공감함으로써 교실 분위기에 긍정적인 영향을 미칠 수 있습니다.

모은 낱말을 한 문장으로 연결합니다

불편했던 교실 경험과 바라는 교실에 대한 이야기를 통해 나온 낱말들을 하나의 문장으로 연결합니다.

문장 예시 >>

- '폭력 없이 존중과 배려가 넘치는 OO반'
- 'OO반은 아무도 비난하지 않고 비난받지 않습니다'
- '존중과 배려를 통해 비난과 폭력 없는 교실을 만들어 갑니다'

학생들이 함께 의견을 나누고 합의하여 만들어진 이 문장은 학급규칙의 핵심 가치를 나타내며, 학생들의 학급 내 소속감과 책임감을 높일 수 있습니다.

선언문을 만들어서 꾸준히 실천합니다

함께 만든 문장을 규칙으로 삼아 선언문을 만들고, 이를 꾸준히 실천하는 활동을 펼칩니다.

선언문 제작 및 실천 과정 >>

1. **선언문 만들기**: 함께 만든 문장을 기반으로 규칙 선언문을 만듭니다.
   선언문 예시)
   - '우리는 폭력 없이 존중과 배려가 넘치는 OO반입니다'
   - 'OO반은 아무도 비난하지 않고 비난받지 않습니다'

2. **반복적 상기 활동**: 이 선언문을 꾸준히 실천하기 위해 학생들과 함께 낭독하며 상기시킵니다.
   - 빈도: 하루 한 번, 한 주에 한 번

3. 학급규칙은 어떻게 만드나요?

학생과 학부모에게 안내합니다

• 시기: 아침 수업 시작 전이나 학급 회의 시작 또는 마칠 때 등

3. **학교생활에 지속적으로 반영**: 학급규칙 만들기가 일회성 행사가 아니라 학교생활에 지속적으로 반영되도록 합니다.

이러한 활동은 규칙을 단순히 만드는 것 이상으로 꾸준한 학급 소통과 학생들의 규칙에 대한 인식을 높일 수 있는 효과를 가질 것입니다. 더하여, 규칙을 꾸준히 기억하고 말하는 행동은 문제가 발생했을 때 교사의 생활지도 실천 증거가 될 수 있습니다.

학급에서 만든 규칙을 학생과 학부모에게 공지하고, 이를 가정통신문이나 학급 SNS 등을 통해 안내합니다.

안내 원칙 >>

• **생활지도 세부 내용 안내**: 학생이 학급 규칙을 어길 경우에 생활지도가 어떻게 이루어지는지 과정을 자세히 안내합니다.

　• 내용: 사안에 따른 지도 단계, 이를 위한 시간과 장소 등

• **학생의 생활지도 상황 예고**: 방과 후에도 생활지도가 필요한 상황이 있을 수 있음을 알리고, 학부모로부터 확인을 받는 편이 좋습니다. 이를 통해 "생활지도 때문에 학원에 갈 수 없어서 손해를 입었다."라는 민원을 예방할 수 있습니다.

갈등을 예방하는 지도 방법은 무엇일까요?

학급규칙을 지키려는 노력에도 불구하고 여럿이 모여 함께 지내는 공간에서 갈등 상황이 일어나는 것은 당연합니다. 학생 사이에 갈등이 깊어지지 않기 위한 사전 지도가 필요합니다. 교사의 꾸준한 안내와 지도는 안전한 교실의 기초입니다.

STEP 1. 자기 감정을 표현하는 법을 안내합니다

STEP 2. 불편함이 반복될 때 표현하는 법을 안내합니다

STEP 3. 선생님께 중재를 요청하도록 안내합니다

STEP
01

자신의 감정을 표현하는 법을 안내합니다

교실에서 학생들이 자기감정을 표현하는 방법을 가르쳐야 합니다. 특히 감정 표현이 서툴거나 불편한 감정을 분명하게 전달하지 못하는 경우가 있습니다. 교실에서 억눌린 감정이 가정에서 표현되면 학부모의 오해를 불러 민원으로 이어집니다.

표현 예시) 큰 목소리로 "네가 (행동)하면 (기분)이야. 하지 마."

이러한 안내를 통해 학생들은 자신의 감정을 표현하는 데 자신감을 가지며, 교실 내에서 원활한 감정 소통이 가능합니다.

지도 원칙 >>

- **감정 표현의 중요성 강조**: 감정 표현의 중요성을 강조하고, 이를 통해 학생들이 자신의 감정을 이해하고 다른 학생들과 소통할 수 있도록 지도합니다.

- **상황에 따른 분명한 표현 가이드 제시**: 불편한 상황에서는 더욱 분명하게 표현하도록 지도합니다.

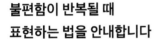

STEP
02

불편함이 반복될 때
표현하는 법을 안내합니다

불편한 상황이 반복될 때 학생들에게 분명한 표현법을 가르치는 것은 중요합니다. 특히 장난이 반복되는 경우, 갈등 상황에서 자신의 감정을 분명하게 전달해야 합니다.

지도 원칙 >>

• **갈등 당사자 간 이야기 권장**: 갈등 상황이 발생했을 때, 관련된 당사자들을 불러 이야기를 나누어보도록 합니다. 상황에 따라 한 사람은 자신의 상황과 감정을 말했다고 하지만, 다른 사람은 듣지 못했다고 할 수 있기 때문입니다.

• **불편한 장난 반복 시 분명한 경고**: 불편한 장난이 반복될 때는 분명하게 표현하도록 안내합니다. 분명한 경고를 통해

자신의 경계를 표현하도록 지도합니다. 표현 예시) "그렇게 하지 마! 한 번만 더 하면 선생님께 말씀드릴 거야!"

• **타인의 경험에 귀 기울이기 강조**: 두 사람의 갈등 관계를 중재할 때, 다른 친구들도 불편을 느낀 친구가 한 말을 들었는지 묻습니다. 학생들에게 타인의 감정에 귀 기울이고 상황을 이해하는 태도를 강조합니다.

학생들은 불편한 상황에서 적절한 표현을 통해 자신을 보호하고 소통할 수 있는 능력을 길러야 합니다.

4. 갈등을 예방하는 지도 방법은 무엇일까요?

교사에게 중재를 요청하도록
안내합니다

불편한 상황이 계속되는 경우, 학생들에게 선생님에게 중재를 요청하는 방법을 가르칩니다.

지도 원칙 >>

- **직접 대응은 피하도록 강조**: 불편함을 느낀 학생들에게는 직접 대응하는 것보다는 선생님에게 상황을 보고하고 중재를 요청하도록 안내합니다.

- **상황 반복 시 선생님에게 상담 요청**: 불편함에 대해 여러 차례 이야기했음에도 불구하고 상황이 지속된다면, 더 이상 대응하지 말고 선생님에게 상담을 요청하도록 안내합니다.

- **선생님이 중재하겠다는 선언**: 문제가 지속될 경우, 선생님이 중재하겠다는 의지를 분명히 선언합니다.

  예시 표현) "만일 같은 불편함에 대해 두 번을 이야기했는데도 지속된다면 절대 대응하지 말고 상담을 요청하세요. 선생님이 문제가 무엇인지 자세히 살펴보겠습니다."

도움을 받는 방법에 관한 안내는 갈등 상황이 발생할 때마다 학생들에게 반복적으로 안내하여 학급 내에서 원만한 관계를 조성할 수 있도록 돕습니다.

학생 갈등은 어떻게 중재하나요?

3월 1~2주가 지나면 긴장이 풀어지면서 교실 곳곳에 불편한 일이 생깁니다. 교사의 사전 지도에도 불구하고 갈등이 일어났다면, 상황을 중재해야 합니다. 학생 사이 갈등이 해결 과정을 거치지 못하고 방치되면 폭력으로 변하기 때문입니다.

STEP 1. 문제 상황을 정확히 확인합니다.

STEP 2. 문제 해결을 위해 대화를 나눕니다

STEP 3. 문제 해결 방법을 합의합니다

STEP 4. 문제 해결 과정 전체를 설명하고 피드백합니다

문제 상황을 정확히 확인합니다

교사가 최대한 객관적으로 사안을 이해하지 않으면 학생들의 감정에 휩쓸릴 수 있기 때문에 평소에 갈등 중재 및 해결 단계를 준비해 둡니다.

접근 절차 >>

1. **교사의 초기 대응**: 학생들이 갈등을 빚을 때 교사는 더 큰 갈등이 일어나지 않도록 적극적으로 개입합니다. 학교 규칙에 따라 정당한 생활지도의 범위에서 벗어나지 않도록 유의하며 지도합니다.

2. **문제 상황 파악**: 갈등 상황에서 교사는 상황이 벌어진 시간, 장소, 상황의 경과를 정확히 파악합니다.

3. **학생 진술과 교사의 객관적 평가**: 갈등 당사자들의 진술을 들으며 교사는 자신의 감정에 휩쓸리지 않고 객관적으로 상황을 이해하려 노력합니다.

4. **학교·학급규칙 확인**: 갈등 상황에서 올바른 해결 방법이 무엇인지 묻습니다. 교사가 평소에 지도한 내용을 알고 있는지 확인합니다.

문제 상황에 대한 적절한 절차를 통해 교사는 갈등 상황을 효과적으로 해결하는 데 도움을 얻을 수 있습니다.

STEP
02

문제 해결을 위해
대화를 나눕니다

대화 진행 절차 >>

1. **심리적 진정 유도**: 갈등 당사자들을 따로 불러 자리를 내어주고, 감정을 진정시키도록 안내합니다. 각자 마음에 담아둔 것을 글로 쓰게 하여 상황과 감정을 정리하도록 도움을 줍니다.

2. **대화의 목적 안내**: 대화의 목적을 '누가 잘못했는지 가리는 것이 아니라 같이 문제를 해결해 보기 위함'으로 설명하면서 학생들에게 안정감을 제공합니다.

3. **대화 주의사항 안내**: 대화를 시작하기 전에 학생들에게 주의사항을 설명하고, 서로의 말을 중간에 끊지 말고 경청하며 이야기할 것을 안내합니다.

4. **순차적 대화 진행**: 준비가 된 학생부터 문제 상황과 감정을 자유롭게 표현하도록 도와줍니다. 교사는 중립적인 입장을 유지하면서 학생들이 서로를 이해하고 소통할 수 있도록 이끌어줍니다.

5. **주의 깊은 경청**: 학생들의 이야기를 주의 깊게 듣고, 문제 상황을 정리하며 양측의 관점을 이해합니다. 서로 다른 주장이 있을 경우 이를 명확히 구분하고 주변 학생들의 이야기를 참고하여 신뢰성을 확보합니다.

5. 학생 갈등은
어떻게 중재하나요?

STEP
03

문제 해결 방법을 합의합니다

문제 해결 절차 >>

1. **정리된 대화 내용 확인**: 학생들과 교사는 문제 상황의 대화 내용을 함께 읽으며 상황을 정확히 확인합니다.

2. **실수와 요구 인지**: 학생들이 자신의 실수와 상대방에게 원하는 것을 말하도록 합니다. 솔직하고 개방적인 대화를 통해 상호 이해를 높입니다.

3. **문제 해결 방법 도출**: 양측이 동의할 수 있는 문제 해결 방법을 찾도록 유도합니다. 어떻게 하면 비슷한 갈등이 발생하지 않을지에 대한 구체적인 방안을 고민하도록 도움을 줍니다.

4. **교사의 제안 활용**: 필요하다면 교사가 제안하여 학생들이 해결 방법을 찾을 수 있도록 도움을 줍니다.
제안 예시) '화해의 편지 쓰기', '대화할 때 규칙 정하기' 등

5. **공동의 생활 약속 합의문 작성**: 합의된 문제 해결 방법을 바탕으로 '공동의 생활 약속 합의문'을 작성합니다. 모든 당사자가 동의하는 내용을 포함하여 명확하고 구체적으로 작성합니다.

6. **필요시 관리자에게 보고**: 필요하다면 생활부장이나 학교 관리자에게 합의된 내용과 관련 자료를 전달하여 추가적인 지원이나 확인을 받습니다.

이러한 단계를 통해 학생들은 자체적으로 갈등을 해결하고 미래에 비슷한 문제를 예방하는 방향으로 나아갈 수 있습니다.

문제 해결 과정 전체를
설명하고 피드백합니다

갈등이 정리된 후 해당 학생들의 동의를 얻어 전체 학생을 대상으로 갈등 상황에 대한 배경, 진행 과정, 결과를 상세히 설명할 필요가 있습니다. 이를 통하여 학생들이 해당 갈등 상황에서 해결 방법을 배울 수 있습니다.

접근 원칙 >>

• **개인적인 감정 수용 유도**: 수용하지 못한 감정이 있었다면 이를 들어주고, 학생들에게 상호 간의 이해와 배려의 중요성을 강조합니다. '입장 바꾸어 생각해 보기'를 통해 다른 사람의 입장에서 갈등 상황을 이해하는 훈련을 합니다.

• **비슷한 상황 예방 강조**: 갈등 상황이 언제든지 발생할 수 있다는 현실성을 강조하며, 비슷한 상황을 예방하는 방법에 대한 가이드를 제시합니다. 학생들이 미래에는 어떻게 대응해야 하는지에 대한 힌트를 제공합니다.

• **피드백 및 학습 포인트 강조**: 갈등 해결 과정에서 학생들이 어떤 부분에서 성장하고 배웠는지 피드백을 제공합니다. 갈등 해결에 기여한 점과 미흡한 부분에 대해 성장의 기회로 바라보도록 유도합니다.

• **합의문 확인 및 보완**: 일정 기간이 지난 후 해당 학생들을 불러 합의문을 확인하면서 갈등 상황이 여전히 조화롭게 해결되었는지 확인하고, 보완할 부분이 있다면 함께 개선하도록 합니다.

위기학생들 어떻게 지도하면 좋을까요?

위기학생이란, 정서적, 신체적, 경제적, 가정 형편 등의 이유로 학업에 실패할 위험에 처한 학생을 말합니다. 위기학생의 발견과 적절한 지원이 이루어지기 위해서는 학교 구성원의 협력과 교육청의 제도적 지원, 지역 사회의 공동의 노력을 필요로 합니다.

STEP 1. 생활지도 시 어려운 점을 반드시 공유합니다

STEP 2. 생활지도를 위해 필요한 지원을 요청하고,
　　　　　이후 상황을 공유합니다

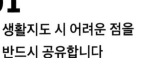

생활지도 시 어려운 점을
반드시 공유합니다

보통 교사는 학급에서 일어난 일을 모두 자신의 책임으로 돌립니다. 혹시나 옆 반 선생님에게 누가 되지 않을까 전전긍긍합니다. 하지만 위기 학생 지도는 연차, 경력에 상관없이 어렵습니다. 모든 교사들이 함께 어려움을 나누고 해결하는 분위기가 조성되어야 할 이유입니다.

역할과 위치를 사전에 팀 내에서 협의해 두는 것이 중요합니다.

동료 교사들의 학급과 생활지도의 특징을 평소에 사정을 잘 알고 있어야 상황이 발생할 때 적극적으로 서로를 도울 수 있습니다.

공유 방안 >>

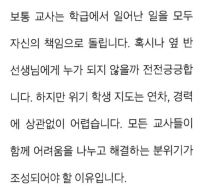

- **학생 상태 및 학부모의 민원 내용 공유**: 특정 학생의 어려움이나 학부모의 민원 처리에 어려움을 겪고 있다면 동학년 회의나 티타임 시간에 주기적으로 상황을 공유하고 의견을 나눠봅니다.

- **긴급 상황 대응 계획 협의**: 긴급 상황이 발생할 경우 어떻게 대처할지, 각자의

6.
위기학생을 어떻게
지도하면 좋을까요?

STEP 02

생활지도를 위해 필요한 지원을
요청하고, 이후 상황을
공유합니다

위기학생은 다방면의 지원이 필요합니다. 동학년, 교감과 교장 등 여러 측면으로 지원을 요청해야 합니다.

지원 요청 대상 >>

• **관리자의 지원 요청**: 동학년 교사들뿐만 아니라 교감과 교장에게도 필요한 지원을 요청합니다.

• **동학년 협업 강조**: 동학년 교사들과의 협업이 중요합니다. 서로의 경험과 아이디어를 나누면서 문제 해결에 대한 지원을 받고, 공동의 목표를 향해 나아갈 수 있도록 합니다.

• **지원 교사와의 상시 소통**: 지원이 필요한 경우, 특히 지원 교사와의 상시적인

소통이 필요합니다. 학생의 행동에 대한 지속적인 피드백과 효과적인 지도 전략을 고민하고 공유합니다.

• **다양한 교사의 참여 유도**: 다른 교사들의 지원이 가능하다면, 상황에 따라 문제 행동과 대응 방법에 대한 자문을 구하고, 학생에게 적합한 지도 전략을 모색합니다.

문제 행동이 개선되고 있는지 여부를 동학년, 지원 교사, 관리자와 정기적으로 공유하여 지속적인 지원 및 효과적인 대응 방법을 모색합니다.

동료 교사들과 생활지도에 관한 나눔을 어떻게 시작할 수 있나요?

열한 번의 집회에서 교사의 공감대를 형성했던 것은 자유발언에서 나온 이야기였습니다. 학교에도 선생님들이 자유롭게 모여 교실에서 일어나는 문제를 꺼내 놓고 말할 수 있는 자리가 있어야 합니다. 가벼운 이야기도 좋고, 무거운 주제도 좋습니다. 우리 교실의 위기 학생 이야기, 수업에서 실수한 이야기, 선뜻 수용하기 어려운 학부모 민원 등 교실 및 가르침에 관한 이야기를 나눕니다. 동료와 연대를 형성하고 깊은 나눔을 할 수 있기 위해서는 광장에서의 자유발언을 학교 안으로 가져올 수 있어야 합니다.

STEP 1. 모두의 이야기가 '환대'받는 공간을 만들어야 합니다

STEP 2. 나눔과 성찰이 가능한 '시간'을 확보해야 합니다

STEP 3. 충분히 논의된 이야기는 '기록'해야 합니다

STEP 01

모두의 이야기가 '환대'받는 공간을 만들어야 합니다

어떤 이야기도 온전히 수용될 수 있는 안전한 공간이 필요합니다. 이는 어려운 이야기나 감정 표현이 자유롭게 표출될 수 있는 분위기를 가진 모임을 말합니다.

환대가 있는 모임의 원칙 >>

• **자유로운 표현**: 안전한 공간은 '그곳에서 한 이야기는 발언자가 동의하지 않는 이상 그곳에서 묻혀야 한다'는 암묵적인 동의가 있는 곳입니다. 어렵게 말을 꺼내 놓고 '괜히 했나' 후회하거나 염려하지 않을 수 있어야 합니다.

• **침묵의 수용**: 발언을 원하지 않는 사람은 침묵을 인정받을 수 있어야 합니다. 자유로운 의사 표현의 중요성을 강조합니다.

• **수평적인 관계**: 수직적인 관계가 아니라, 서로를 수평적인 동등한 관계로 존중하는 환경을 구축합니다.

안전하고 환영받는 공간에서 모두의 이야기가 수용되고 존중받을 수 있도록 함으로써 풍부한 의사소통과 이해가 이루어질 수 있습니다.

STEP 02

나눔과 성찰이 가능한 '시간'을 확보해야 합니다

나눔의 시간이 지속되면, 교사의 성장이 자연스럽게 뒤따라옵니다. 깊은 대화가 자신을 돌아보는 성찰의 기회를 제공하기 때문입니다. 심리적, 물리적으로 안전한 공간에서 자유로운 논의가 충분히 이루어질 수 있도록 시간을 들여야 합니다.

시간 확보의 원칙 >>

- **여유로운 모임**: 시간에 쫓기지 않고 여유롭게 이야기할 수 있는 환경을 조성합니다. 급하게 진행되는 회의가 아닌, 조금 더 따뜻하고 여유로운 모임을 추구합니다.

- **지속적인 나눔**: 정기적인 나눔의 시간으로 지속적인 대화를 유지합니다. 교사들의 깊은 대화가 자신을 성찰하게 함으로써 성장의 가능성을 높입니다.

STEP 03

충분히 논의된 이야기는 '기록'해야 합니다

물리적, 심리적으로 안전한 공간이 형성되면, 그곳에서 나누어진 이야기를 기록하는 것이 좋습니다.

기록의 원칙 >>

- **자유로운 양식**: 공식적인 보고서 형식이 아닌, 각 교사가 자유롭게 표현할 수 있는 양식을 갖춥니다. 메모, 일기, 그림, 감정 표현 등 다양한 형식을 통해 논의된 내용을 표현하도록 장려합니다.

- **주제 중심 기록**: 학교 내에서 중요한 주제에 대한 논의와 결정 사항은 특히 기록해야 합니다. '학년 및 업무 배정'과 같은 학교 운영에 관한 내용이나 '저경력 교사 지원 방안' 등은 기록을 통해 추후에 참고할 수 있도록 합니다.

7. 동료 교사들과 생활지도에 관한 나눔을 어떻게 시작할 수 있나요?

- **공유와 활용**: 기록된 내용을 주기적으로 공유하고 함께 읽어보는 시간을 가집니다. 이를 통해 다양한 의견이 교사들 간에 효과적으로 전파되고 학교 내에서 공론의 장이 형성됩니다.

- **성장과 격려**: 기록된 내용을 모두 모인 자리에서 함께 나누고 서로를 격려하고 지지하는 시간을 가질 수 있다면 더욱 좋습니다.

우리에게 그토록 아팠던 '공교육 멈춤의 날'도 기록되지 않는다면 시간이 흐른 후에는 언제 그런 일이 있었는지조차 흐릿해질 것입니다. 기록과 공유를 통하여 학교와 교사는 이전보다 성장합니다.

"

서이초 선생님은
'극단적 선택'이 아니라
선택의 여지가 없는
극단적 '상황'에
놓여있었습니다.

———

8차 집회 자유발언

교육은 교육기관에서
폭력은 사법기관에서
처리하자는 이야기가
그렇게 비논리적인
요구입니까?

———

10차 집회 모두발언 교사

""

붕괴되는 교실과
반복되는 민원 속에서
이로 인한 스트레스의 호소가
개인적인 나약함만으로
매도되는 관행은
이제 멈춰져야 합니다.

———

10차 집회 자유발언 교사

변하지 않은 곳에서 변화를 꿈꾸며

"선생님 커피 생각 나시면 내려오세요. "

커피를 내려놓고 작년에 같은 학년을 맡았던 선생님을 초대했다. 뜻밖의 이야기가 돌아왔다.

"선생님 저 내년에 휴직할 겁니다. "

일 년 동안 시달린 학부모 민원에 지쳐 자율 연수휴직을 신청했다고 한다. 아이들을 좋아했던 선생님이 잠시 학교를 떠날 결정을 하는 동안 나는 아무런 소식을 듣지 못했다. 가끔 학교에서 마주칠 때면 잘 지내고 있냐는 습관 같은 인사를 주고받았을 뿐이다. 아쉬움과 서운함, 미안한 마음이 밀려든다.

> **❝ 셀 수 없이 많은 대화와 글이
> 학교마다 넘쳐나길
> 간절히 소망한다.**

검은 물결이 가득했던 아스팔트 위로 어느새 하얀 눈이 내려앉는다. 광장에서 흘렸던 눈물은 정신없는 학교의 일상에서 빠르게 메말라갔다. 누군가 병가나 휴직을 신청했다는 소식도 심심찮게 들려온다. 교사들의 외침으로 교권보호 4법이 통과되었지만 생활지도와 관련된 민원은 여전하고 상처 입은 교사들은 무겁게 가라앉았다. 학교는 아무것도 변하지 않은 듯 단단하고 차갑게 느껴진다.

아니다. 우리는 여전히 학교에 있다. 이곳에 교사인 내가 있고, 소중한 동료들이 있으며 무엇보다 하루하루 성장하는 아이들이 있다. 우리는 이곳에서의 삶을 포기할 수 없다. 나의 문제는 나만의 문제가 아니고, 동료의 상처는 동료만의 상처가 아니다. 숨죽여 왔던 이야기들은 밖으로 나와 우리의 이야기가 되었다. 이제 우리는 함께 슬퍼하고 함께 분노하는 마음으로 탄원서를 작성하고 해결 방법을 찾는다. 우리는 서로에게 조금 더 세심해졌으며, 보듬으려 노력한다. 법과 고시가 그렇게 만든 것이 아니다. 광장에서, 뜨거운 아스팔트 위에서 흘린 눈물로 깨달은 것이다.

자발적이고 능동적인 참여의 경험이 만들어 낸 변화의 이야기는 그저 흘려보내기엔 너무나 가치롭다. 광장에 검은 점이었던 우리는 각자 의미를 찾고, 함께 대화하고, 공동으로 기록했다. 이곳의 기록이 씨앗이 되어 바람을 타고 멀리멀리 퍼져나가길 바란다. 씨앗이 떨어진 곳에서 다양한 모양으로 싹이 트고, 꽃이 피길. 그리하여 셀 수 없이 많은 대화와 글이 학교마다 넘쳐나길 간절히 소망한다.

공교육 멈춤, 그 이후

서이초 사건부터 지금까지의 기록과

앞으로의 과제

공교육 멈춤, 그 이후

저자_ 김재현 류창기 성현아 송칠섭 양봉준 이상수 정휘범

발행_ 2024. 1. 19.

펴낸이_ 이상수

펴낸곳_ beside books

출판사등록_ 제561-2022-000043호(2022. 5. 17.)

주소_ 경기도 수원시 영통구 영통로200번길 21

전화_ 010-2853-2423

인스타그램_ instagram.com/beside.books

사진_ 권준호

교정/교열/디자인_ beside books

ISBN_ 979-11-92865-28-7

교육실천이음연구소